S0-BQY-548

Le petit mercure

Collection créée par Colline Faure-Poirée

Le goût de Tokyo

Textes choisis et présentés
par Michaël Ferrier

Mercure de France

Nous avons tenté de joindre tous les auteurs ou leurs ayants droit.
Pour certains d'entre eux, malgré nos efforts, nos recherches
de coordonnées n'ont donné aucun résultat.
Leurs droits leur sont naturellement réservés.

© Mercure de France, 2008, pour l'introduction,
les présentations et les commentaires.
ISBN 978-2-7152-2811-5

SOMMAIRE[1]

1. Pour les auteurs japonais, selon l'usage, le nom de famille précède le prénom.

LA VILLE-POEME

À Kazuhiko Kôsaka (1932-2006)

INTRODUCTION

Nous sommes le 13 septembre 1868. Le Japon est en ébullition. Ce jour-là, Edo prend le nom de Tokyo, ou « capitale de l'Est ». Le transfert de la capitale, de Kyôto à Edo, et le changement d'Edo en Tokyo marquent le début d'une période de profonds bouleversements urbains : des ponts sont édifiés, certaines portes de la ville sont restaurées, les rues sont élargies. Surtout, la métamorphose s'accompagne d'une remise en question profonde des habitudes de pensée et des modes de vie : bientôt, on frappe de nouvelles monnaies, les citoyens prennent un nom de famille (privilège jusque-là réservé aux nobles), la ville est ouverte aux étrangers pour la résidence et le commerce. On décrète l'affranchissement des *eta*, ces castes de parias travaillant au contact des peaux et des cadavres, tanneurs, bouchers, croquemorts… Le régime féodal est aboli, au moins en théorie. Les jeunes femmes portent des vêtements à l'européenne, les hommes se laissent pousser la moustache. Le billard et la danse font leur apparition, avec les dictionnaires de langues. Entrez dans la valse ! On va au théâtre, partout la publicité se déploie et poudroie, donnant à la ville son cachet coloré et toute une palette sonore. Même si les us et le tracé de l'ancienne ville d'Edo ne disparaissent pas complètement et continuent d'irriguer la nouvelle capitale[1], la naissance de Tokyo s'inscrit dans le mouvement de ces mutations radicales de l'ère Meiji, dont elle est à la fois un signe fort et un des vecteurs les plus puissants.

Un événement en dit long sur l'importance de la ville. Le 29 octobre, l'Empereur quitte Kyôto pour se rendre à Tokyo dans un grand palanquin en bois de paulownia blanc. Il est accompagné d'un millier de soldats, de tambours et de fifres : c'est la stupéfaction générale. Le monarque, intouchable et invisible, perpétuant une lignée ininterrompue issue de la Déesse du Soleil, serait-il descendu du ciel ? Il arrivera à Tokyo le 27 novembre, vers 10 heures du matin. Un silence impressionnant accompagne, dit-on, cette visite du fils des dieux venu rendre hommage à une ville.

La révolution est particulièrement sensible dans les transports. Un des principaux obstacles au développement d'Edo était en effet la lenteur dans le transfert des biens et des personnes, charriés à dos d'hommes et d'animaux. Avec Tokyo apparaissent de nouvelles techniques, axées sur la vitesse et la souplesse, la fluidité, comme les fameux *rickshaws*, ces voitures légères à deux roues tirées par des coureurs aux torses nus et tatoués. Suivront les premières lignes de télégraphe (1870) et de chemin de fer (1872), les bateaux à vapeur et à roue qui essaiment sur la Sumida, et toutes sortes de véhicules variés : bicyclettes, omnibus de fabrication anglaise tirés

1. L'historien Jinnai Hidenobu a montré combien Edo subsiste sous Tokyo *(Tokyo no kûkan jinruigaku [Anthropologie spatiale de Tokyo]*, Chikuma shobô, 1992).

par quatre chevaux, tramways, taxis, voitures, métro…
jusqu'aux trains du futur, les Maglev à lévitation magné-
tique d'ores et déjà à l'étude dans les laboratoires de la
ville. Dès le début, Tokyo enflamme, *transporte*, élec-
trise : c'est une ville qui naît dans et par le transport, le
renouvellement, le déplacement.

Ainsi se propage une ville de circonstance, un paysage
de transition, tout en virages et en voltes, éclectique et
désinvolte, sans vision axiale. Tout part dans tous les
sens, les vélos vous frôlent, le trottoir devient route…
Pas grave. Une certaine conception dramatique de la
ville s'y trouve perdue, éparpillée dans une multitude
de flèches urbaines, qui sont comme les feux follets du
lieu. Y naissent en revanche un comique de situations,
un humour poétique et mathématique, une fantaisie sensible dès les premiers pas[1].

Comment s'étonner dès lors de cette croissance ininterrompue, entraînant tout sur son passage ? Double
phénix, ville détruite deux fois (en 1923, par le grand
tremblement de terre du Kantô, et en 1945 par les bom-
bardements), et deux fois renaissant de ses cendres,
Tokyo prolifère au gré d'un « urbanisme par pièces[2] ».
Elle progresse par touches, par îlots, par plis et par
reprises. Sans plan d'ensemble, sans projet globalisant.
Cet « urbanisme par pièces » est aussi un urbanisme en
pièces : on ne sait plus s'il convient de lui laisser le nom
de ville. Dynamique et déstabilisante, tour à tour catalo-

---

1. Un écrivain l'a bien compris : Jacques Roubaud dans *Tokyo infra-
ordinaire*, Inventaire/Invention, 2003.
2. Selon l'excellente formule de Natacha Aveline : « Regards croisés sur
les formes de la ville japonaise », in *Daruma*, n° 3, Éd. Picquier, 1998.

guée comme une « ville globale[1] » ou une « ville-amibe[2] », « ville numérique » plutôt que cité historique, « espace liquide » plus qu'espace physique[3] : les appellations se multiplient, comme si le langage lui-même était parti à la poursuite de Tokyo. C'est un nouveau paradigme, une forme symbolique inédite dans la phénoménologie urbaine du XXIe siècle... à laquelle on ne sait pas donner de nom.

En ce sens, Tokyo impressionne moins par son gigantisme que par la nature même des processus qui y sont en jeu, et les nouvelles catégories d'action mentale qu'elle permet de susciter. Polycentrique, piquante et poignante, tout en revers et en bifurcations, c'est une espèce d'espace où, comme le dit Abe Kôbô : « Même si vous vous fourvoyez, vous ne pouvez pas faire fausse route[4]. » Ville-embuscade, ville-surprise, entre l'embarras et l'étonnement : vous y trouverez ce que vous cherchez et, plus sûrement encore, ce que vous n'y cherchiez pas.

Michaël FERRIER

1. Saskia Sassen, *La Ville globale. New York, Londres, Tokyo*, Descartes, 1996.
2. Par ses capacités d'adaptation : cf. Ashihara Yoshinobu, *L'Ordre caché. Tokyo, la ville du XXIe siècle ?*, Hazan, 1994.
3. Livio Sacchi, *Tokyo : architecture et urbanisme*, Flammarion, 2005.
4. *Le plan déchiqueté* (1967), trad. de l'anglais par J-G. Chauffeteau, Stock, 1988, p. 9.

Prologue

DAZAI OSAMU

L'appel de Tokyo

Dazai Osamu (1909-1948) est l'enfant terrible des lettres japonaises. Ironique, fantasque et insolent, spécialiste des tentatives de suicide (dans lesquelles il entraîne généralement une jeune femme avec lui), buveur et provocateur, il est né dans le nord du pays mais son œuvre est inséparable de Tokyo, où il a passé une grande partie de sa vie et où il est mort. Chaotique, émouvante, tour à tour drôle, inquiète et déroutante, la vie de Dazai ressemble furieusement à cette ville, «pareille à une feuille de mûrier rongée par un ver à soie».

Depuis un certain temps déjà, je nourrissais le projet de composer, patiemment et sans ménager ma peine, un récit, que j'intitulerais : *Huit Tableaux de Tokyo*. Ce que je souhaitais décrire, au rythme de chacune de ces scènes, c'était dix ans de ma vie dans la capitale.

[...]

Et ce soir-là, à la lueur blafarde de ma lampe, je dépliai sur ma table ma grande carte de Tokyo.

Depuis combien de temps n'avais-je pas fait ce geste : déplier devant moi une carte de la capitale ? Dix ans plus tôt, quand j'étais venu m'installer à Tokyo, je n'avais d'abord pas trouvé le courage d'aller acheter une carte comme celle-là : l'idée de passer pour un campagnard et d'essuyer les moqueries m'avait plusieurs fois fait reculer. Un beau jour pourtant, j'avais fini par me décider : j'étais allé demander une carte dans un magasin, sur un ton mêlé de brusquerie et d'autodérision. Puis je l'avais fourrée dans ma poche, pour regagner la pension que j'habitais alors. Le soir, je m'étais enfermé dans ma chambre et, en cachette, j'avais déplié la carte. Du rouge, du vert, du jaune : quel beau tableau c'était ! Retenant mon souffle, je ne pouvais que l'observer avec passion. La Sumida. Asakusa. Ushigome. Akasaka. Rien ne manquait ! À tout moment, si j'en avais envie, je pouvais me transporter dans n'importe lequel de ces endroits. C'était magique !

À présent encore, en regardant l'image de Tokyo, pareille à une feuille de mûrier rongée par un ver à soie, je pensais à chacun des êtres qui pouvaient habiter cette ville, à chacune de leurs vies. Dans cette plaine sans charme, on afflue de tout le Japon : on se bouscule, on sue, on se bat pour un pouce de terre, entre joie et tristesse ; on se jalouse, on se heurte ; les femelles appellent les mâles, et les mâles s'en vont à l'aventure, hors d'eux-mêmes.

Huit Tableaux de Tokyo (1940),
in *Cent vues du Mont Fuji,*
traduit du japonais par Didier Chiche
© Éditions Philippe Picquier 1993

À Tokyo, tout commence par une carte, un dessin, un plan. Autant dire : une écriture. La ville est tellement grande, peuplée, surprenante, enchevêtrée, elle répond si peu aux critères habituels d'urbanisme et d'habitat, qu'on y a vite la sensation – inquiétante ou délicieuse – d'être perdu dans un labyrinthe indéchiffrable.
Première approche donc : déplier la carte.

CARTOGRAPHIES :
HUIT TABLEAUX DE TOKYO

NICOLAS BOUVIER

Est-ce une (belle) ville ?

L'écrivain suisse (1929-1998) débarque à Tokyo en 1955, lors d'un périple au long cours qui lui fournira la matière de plusieurs ouvrages, dont L'Usage du monde, *livre-culte des écrivains-voyageurs. Il a 26 ans et quelques dollars en poche. Tout de suite, c'est le choc de la découverte, accompagné d'une euphorie communicative...*

J'ai débarqué, consigné mon bagage à « Tokyo Central » et suis parti au hasard dans cette ville interminable, une brosse à dents dans la poche. C'était un bonheur de marcher dans ces longues avenues rafraîchies par le vent en regardant les visages. Toutes les femmes avaient l'air lavées, tous les passants semblaient s'acheminer vers une destination précise, tous les travailleurs travaillaient et l'on trouvait partout des boutiques minuscules qui offraient pour quelques yens un café fort et bon : petits miracles auxquels, après deux ans d'Asie, j'avais cessé de croire.

[...]

Cet après-midi-là j'ai bien marché vingt kilomètres au hasard dans la ville. L'air était délicieux. J'ai visité au passage une exposition de photos japonaises d'un goût si exigeant que rien n'y bougeait plus. J'ai regardé les voitures de pompiers passer à toute allure dans des tourbillons de feuilles mortes. Leurs cloches de bronze sonnant à la volée, l'air d'aller à la fête avec leurs grappes de petits hommes noir et rouge accrochés aux échelles, coiffés de casques à protège-nuque comme les guerriers de Gengis Khan. Je me suis reposé les pieds dans une église russe en écoutant des chœurs assez nombreux et véhéments pour absoudre la ville entière. Ces avenues sans plan, ces entrepôts, ces librairies noires de monde, cette marée de jardinets, de maisonnettes inégales qui venait battre contre un canal croupi, contre un bloc d'immeubles ultramodernes, contre le ballast d'une voie ferrée… après huit heures de promenade, je me demandais encore si cela faisait une belle ville, ou même une ville tout court. Puis le soleil est descendu en se gonflant dans un ciel orange, dessinant en silhouette la ligne incongrue des toits, la folle écriture des antennes, des fils électriques et des ballons publicitaires contre un horizon qui virait au rouge, puis la pluie multicolore des néons. J'ai cessé de me poser des questions.

Chronique japonaise
© 1989, Éditions Payot
© 2001, Éditions Payot & Rivages

On se demande un peu où est passé ce « café fort et bon » (le « café américain », fade et très allongé d'eau, est aujourd'hui omniprésent), mais pour le reste – passants, pompiers, tourbillons – la description n'a pas pris une ride. En quelques lignes, Bouvier trouve un ton et une vitesse (éloge du passage, de la volée), élabore une technique (la notation sur le vif) et définit une méthode, la seule peut-être qui convienne à cette ville : la déambulation. Il pose aussi d'emblée la question qui brûle les lèvres : qu'est-ce que c'est que cette ville ? Et même : peut-on lui garder le nom de ville ?

NATSUME SÔSEKI

La liberté de penser

Les étrangers ne sont pas les seuls surpris par cette « ville interminable ». Le thème du « voyage à Tokyo » est même l'un des motifs récurrents de la culture japonaise que l'on trouve aussi bien en littérature qu'au cinéma (avec Ozu par exemple). Natsume Sôseki (1867-1916), souvent considéré comme le plus grand écrivain de la littérature japonaise moderne, l'illustre magnifiquement dans l'histoire de Sanshirô. Paru entre septembre et décembre 1908 sous la forme d'un feuilleton, Sanshirô relate l'arrivée dans la capitale d'un jeune homme montant de sa province pour étudier à la prestigieuse Université de Tokyo. Le premier Tokyoïte qu'il rencontre est à la hauteur de cette ville, beaucoup plus contestataire que les apparences – et les discours dominants – ne le laissent supposer.

« Vous allez à quel endroit, à Tokyo ? demanda-t-il.

– À vrai dire, c'est la première fois que je monte à la capitale et je ne sais pas encore bien comment les choses vont se passer. Au début du moins, je pense loger dans l'une de ces pensions qui accueillent les étudiants qui arrivent de province… »

[...]

Soudain, il entendit l'homme à la moustache s'exclamer par-dessus son épaule :

« J'ai l'impression que notre train ne va pas repartir

tout de suite ! » Puis, jetant un coup d'œil sur le couple d'Occidentaux qui venait juste de passer devant la fenêtre, il murmura : « Que cette femme est belle ! », avant de pousser un bâillement. Sanshirô se rendit compte alors qu'il devait faire très provincial : il rentra sa tête et retourna s'asseoir. Son compagnon en fit autant.

« Elles sont vraiment jolies, ces étrangères, vous ne trouvez pas ? demanda-t-il à Sanshirô.

– Euh…, fit ce dernier qui ne savait trop que répondre.

– Nous autres, Japonais, continua son voisin, nous faisons piètre figure à côté de ces gens-là ! Laids et chétifs comme nous sommes, à quoi cela nous a-t-il servi d'avoir battu les Russes et que notre pays soit devenu une grande puissance ? Regardez plutôt quelle taille font nos maisons et nos jardins : ils sont à notre mesure ! Je suppose, puisque c'est la première fois que vous allez à Tokyo, que vous n'avez jamais vu le mont Fuji ? Alors, profitez de l'occasion pour bien le regarder car nous n'allons plus tarder à passer devant. C'est ce que nous avons de mieux au Japon. La seule chose dont nous puissions nous montrer fiers, encore que nous n'y soyons pas pour grand-chose : il a toujours été là où il est… »

À ces mots, l'homme eut un nouveau sourire de dédain. Jamais Sanshirô n'aurait pu imaginer qu'on pût encore tenir des discours pareils après la victoire sur les Russes ! Il en vint même à douter que son interlocuteur fût vraiment japonais…

« Mais, protesta-t-il, notre pays lui aussi est entré sur la voie du développement !

– Vous voulez dire qu'il court à sa perte ! » corrigea l'autre, imperturbable.

Quiconque, à Kumamoto, eût osé s'exprimer de la sorte se serait aussitôt fait rosser de la belle manière, ou pis encore, aurait été accusé de haute trahison. Sanshirô avait grandi dans un climat qui n'était guère propice à l'épanouissement d'idées aussi subversives que celles-là dans la tête de ses compatriotes. Il se demanda même si son interlocuteur ne prenait pas prétexte de son jeune âge pour se moquer de lui. Celui-ci continuait cependant d'arborer le même sourire narquois, et son ton restait parfaitement froid. Ne sachant trop que penser, le jeune homme résolut de ne plus lui donner la réplique. Mais l'autre poursuivait déjà :

« Tokyo est une plus grande ville que Kumamoto, et le Japon est plus grand que Tokyo, mais il y a plus grand que le Japon, et c'est… » Il s'interrompit un instant, puis voyant que son auditeur dressait l'oreille, il poursuivit : «… l'intérieur de votre tête ! N'aliénez pas votre liberté de penser, jeune homme… Vous croyez agir pour le bien du pays, mais c'est du tort que vous lui faites. »

À ces mots, Sanshirô eut le sentiment qu'il venait de quitter véritablement Kumamoto, mais en même temps il prit conscience qu'il avait toujours vécu comme un lâche…

Le soir même, il arrivait à Tokyo. Au moment où il prit congé de son compagnon de voyage, il ne savait toujours pas quel était son nom. Mais, persuadé qu'il rencontrerait ce genre d'individu à tous les coins de rue de la capitale, Sanshirô ne fit même pas l'effort de le lui demander.

Sanshirô,
traduit du japonais par Estrellita Wasserman
© Éditions Gallimard, 1995

Cartographies : huit tableaux de Tokyo

On l'oublie souvent, ce texte vient nous le rappeler : Tokyo est née d'un immense mouvement de modernisation, mais aussi d'ouverture et de démocratisation. Alors qu'une certaine vulgate se complaît à la peindre comme un espace de coercition terrible (robotisation, consumérisme, déprime à tous les étages, esclavage salarié...), et la culture japonaise comme une apologie du repli et de la soumission, Tokyo est *aussi* une ville excentrique, rebelle, moqueuse et désobéissante.

Il ne s'agit évidemment pas de retourner les poncifs pour en tirer une image inverse qui serait aussi trompeuse que celle que l'on prétendait réfuter : on ne rencontre pas ce genre de libres-penseurs iconoclastes «à tous les coins de rue de la capitale», comme le croyait naïvement Sanshirô (pas plus qu'à Paris, New York ou Londres). Mais il importe, pour mettre en question l'arrogance – apparemment inépuisable – de nombreux discours sur le Japon, de prendre conscience qu'il existe ici aussi de merveilleuses réserves d'insolence et de révolte, nourries par ce que Philippe Pons nomme la «figure du refus», tradition profonde et permanente dont il fait même l'une des grandes caractéristiques de la culture japonaise (voir *Misère et crime au Japon du XVIIᵉ à nos jours*, Gallimard, 1999).

ABDÜRRECHID IBRAHIM

Une publicité omniprésente

Abdürrechid Ibrahim est un ouléma tatar, c'est-à-dire un Turc de Russie, fervent intellectuel musulman, qui fait un long voyage en Asie de 1908 à 1910. Il en tire un ouvrage de près de mille pages, dont presque un tiers consacré au Japon. Son récit constitue un témoignage précieux sur le pays au début du XXᵉ siècle mais il trouve aussi des échos dans l'expérience que chacun peut en faire aujourd'hui. Ainsi, en 1909 déjà, l'hallucinant défilé des publicités...

Au Japon, la publicité est incomparablement plus développée qu'en Europe. Le commerce marche avec la publicité, les expositions et les annonces.

À Yokohama déjà, j'avais été stupéfié par la quantité d'annonces visibles. Ensuite, en me rendant de Yokohama à Tokyo par la route, le chemin de fer ou le tramway électrique, je fus frappé par les annonces de différentes formes qui se succédaient sans interruption des deux côtés de la voie. Pourtant ce n'était rien encore comparé aux enseignes lumineuses que j'ai vues le soir à Tokyo. Dans cette ville, on ne peut trouver une maison sans enseigne électrique. Il est vraiment étonnant de voir toutes ces annonces accrochées aux portes des maisons, aux poteaux télégraphiques qui bordent les rues, collées sur des cabines spéciales ou suspendues dans l'air.

Un Japonais nommé Jintan a par ailleurs inventé une pilule célèbre dans tout le pays et que l'on appelle d'ailleurs la pilule de Jintan. Il paraît que cet homme dépense trois cent cinquante mille yens par an rien que pour la publicité, ce qui équivaut à quarante mille livres. Dans n'importe quelle rue de Tokyo, on peut voir une publicité le représentant en uniforme d'amiral. À longueur d'année, toutes ses annonces sont illuminées par des lumières électriques de toutes les couleurs. Cette pilule a pour vertu supposée d'éliminer les mauvaises haleines. Si le fabricant d'une pilule éliminant les mauvaises haleines dépense quarante mille livres par an uniquement pour la publicité, on peut facilement se faire une idée de la quantité de pilules consommées ; et des sommes dépensées par le peuple japonais pour se parfumer la bouche. Dans tout le Japon, on ne peut rencontrer une seule personne, homme ou femme, qui n'ait dans sa poche une pilule de Jintan. Elle est au Japon ce que la cigarette est à la Turquie : chacun en a toujours un paquet sur lui.

Les annonces des grands commerçants sont encore plus somptueuses, plus étranges que les autres. On ne voit qu'elles, on pourrait passer son temps à ne rien regarder d'autre. Devant une telle quantité de voitures et un tel flot de musiques, j'avais presque l'impression que le monde entier défilait devant mes yeux.

Un tatar au Japon, Voyage en Asie 1908-1910,
traduit du turc ottoman par François Georgeon
et Işik Tamdoğan-Abel
© Éditions Actes Sud, 2004

Pollution visuelle ? Exhibitions éblouissantes ? Dans *Chronique japonaise*, Nicolas Bouvier parle d'« une publicité omniprésente et hideuse mariée à la plus belle écriture du monde ». Abdürrechid Ibrahim, lui, se délecte de la féerie des enseignes. Aujourd'hui, l'affichage privé est libre et le marché publicitaire japonais est le deuxième du monde, donnant à la ville l'aspect d'un immense continuum sonore et bariolé. Des grands panneaux urbains aux écrans plats des rames de métro en passant par les affichettes éparpillées dans les rues, le spectacle est permanent, encore accentué par une signalétique haute en couleurs. Tatouée à toute heure du jour et de la nuit de discours et de sons, la ville offre un spectacle hypnotique et changeant, qui déroute ou qui dégoûte, épuise ou émerveille, mais ne laisse personne indifférent.

PHILIPPE PONS

Capitale de la mode

À Tokyo, le spectacle n'est pas seulement dans l'agencement des lumières, le ballet des signes publicitaires ou le déploiement des bâtiments et des ruelles. Il peut surgir aussi dans les attitudes et l'habillement de ses habitants. Extraordinaire spectacle de la rue, varié, insolite, d'une poésie vivante – et qui va jusqu'à donner le ton à la haute couture. Correspondant du journal Le Monde *au Japon, Philippe Pons retrace les mutations successives de la mode dans la capitale japonaise. Métamorphoses d'«une "défonce" dans le look sans égale ailleurs »*…*

Ce n'est plus à Londres qu'il faut aller chercher la capitale de la mode dans la rue, mais à Tokyo. Des terrasses très latines des cafés des avenues Meiji ou Omotesandô, les Champs-Élysées de la capitale nippone, ou de celles, parfois réduites à une ou deux tables, des ruelles du quartier branché de Harajuku, atelier des nouvelles tendances de la mode, c'est le défilé ininterrompu d'une foule, jeune, parfois très jeune, dont la débauche imaginative dans la construction de l'apparence se traduit par une «défonce» dans le look sans égale ailleurs.

Autrefois, c'étaient celles qu'on appelait *komadamu* («petites madames»), des BCBG, qui lançaient les modes. Elles portaient des bas en été et conservaient le teint blanc. Aujourd'hui ce sont les adolescentes. Elles sont jambes nues, bronzées, et entraînent leurs aînées. Leurs modes se renouvellent à un rythme effréné. Ainsi, les *ganguro* (« visages noirs »), les minettes « tendance » du quartier de Shibuya, au teint cuivré aux rayons UV et au maquillage jouant sur les camaïeux pastel, qui tenaient le haut du pavé en 2000 étaient déjà ringardes l'été suivant. On est toujours « en retard d'un métro » à suivre la mode de la rue à Tokyo, estime Shinichi Aoki, fondateur du mensuel *Fruits*, qui fut le premier à faire des garçons et des filles de la rue de Harajuku des modèles de la mode dans la rue.

Que veulent dire ces Nippons et ces Nippones en *Buffalo shoes* ou en bottes à plates-formes, portant mini-jupes, shorts ultracourts ou salopettes-barboteuses, dont les crinières de lion à la Barbie rivalisent avec les chevelures aux épis colorés, et qui assemblent avec plus ou moins de bonheur dans un collage très « perso » kimono et godillots déclinés sur le registre du *dirty look* ou de l'incontournable style *kawaii* (« mignon »), c'est-à-dire un peu nunuche comme les *Gothic Lolita* (nom de l'une de leurs revues mensuelles sur papier glacé) qui jouent les poupées anglaises noyées sous les rubans, les dentelles, les festons et les broderies noires ? Les ados s'amusent à surprendre, à provoquer, à faire sourire. Certains, comme les *Gothic Lolita* ou les *decora-chan*, s'adonnent au *kosupure* (ou « cosplay », de l'américain *costume play*), sur les brisées des « pousses de bambou » des années 1970-1980, outrageusement maquillées et déguisées, qui dansaient le dimanche aux abords du parc Yoyogi. Quant à la tendance antimode, avec un petit côté rétro, des rues de Harajuku, elle est peut-être une réaction des jeunes aux excès de la décennie 1980 et de son culte des griffes, qu'ils tournent en dérision.

Ce n'est pas la première fois que le Japon a ses excentriques : au XVIIᵉ siècle, le grand romancier de mœurs Saikaku évoquait les *kabukimono* (« ceux qui se contorsionnent »), ces « flambeurs » des rues faisant frémir le bourgeois par leur comportement provocateur et leur accoutrement. Les « petites muses » de Shibuya, en rupture d'image avec la génération précédente, sont moins révolutionnaires qu'on ne peut le penser : dans les années 1920-1930, les *moga* (« modern girl »), coiffées à la garçonne, qui dansaient le fox-trot sur leurs talons aiguilles, choquaient l'opinion par leur frénésie de vivre l'instant. L'insouciante Naomi du romancier Tanizaki (*Un amour insensé*), perverse et exhibitionniste, friande de jazz et de flirts, fut si représentative de ce genre de jeunes femmes qu'on parlait de « naomisme » pour désigner une génération dite « des sensations sans émotions ». Mais la *modern girl* des années 1920, dont la grande dame de la littérature, la romancière Chiyo Uno (1897-1996), fut une figure emblématique, était aussi porteuse d'idées progressistes : l'émancipation de la femme. La jeune génération nippone d'aujourd'hui, qu'il s'agisse des *Shibuyettes* ou des jeunes lookés d'Harajuku, n'est ni revendicative ni rebelle. Elle n'est pas habitée par la fureur de vivre à la nippone des « tribus du soleil » des années 1950, ni par les idéaux révolutionnaires des contestataires des décennies suivantes, ou le nihilisme irrévérencieux des punks. Les vingt ans nippons ne contestent rien : ils sont un style. Ne sont-ils que cela ?

[...]

Contrairement à celle des années 1960-1970, la jeune génération nippone n'aspire pas à changer le monde. Passive ? Apathique ? On a peut-être tôt fait de cataloguer négativement l'attitude des vingt ans nippons. Leur « révolte » est certes discrète, sans grandiloquence idéologique, sans « projet » précis. Ils se contentent de se dérober aux contraintes et aux prescriptions (conformisme, objectifs à atteindre) de la période d'expansion économique. Leur extravagance et leur désinvolture sont une forme de fuite plus que de révolte : une fuite de la grisaille, de la platitude quotidienne. Avec plus ou moins de succès, ils sont en quête d'une certaine légèreté que leurs aînés n'ont jamais connue.

Les restructurations économiques, les mutations du système de l'emploi et une plus grande insécurité de l'avenir contraignent tous les Japonais à un *aggiornamento* de leur rapport à la vie, au travail. Les jeunes se détournent de la compétition dans le conformisme qui était l'apanage de Japan Inc. Certains ont des difficultés à s'insérer, mais ils cherchent à tâtons d'autres voies d'épanouissement que le productivisme : dans l'extravagance, l'hédonisme à la petite semaine ou la solidarité. [...]

En filigrane, de la jeunesse hyper-lookée aux jeunes nomades du travail désinvoltes dans leur apparence comme dans leur mode de vie, qui refusent les rôles sociaux prédéfinis comme les générations précédentes, c'est un pan d'un nouveau Japon qui se dessine – d'un Japon en train de se réinventer.

Préface au livre de Ling Fei,
Jeunes Japonais, extravagance des corps
© Éditions Autrement, 2002

PHILIPPE PELLETIER

Transit par le monde marchand

Depuis quelques années, une nouvelle politique urbaine et architecturale se développe : concentrer les fonctions résidentielles, commerciales et culturelles de la ville, afin d'attirer un public toujours plus nombreux et de le pousser à une consommation illimitée. Géographe spécialiste du Japon contemporain, Philippe Pelletier décrit et analyse ce nouvel ordonnancement de l'espace public.

Yebisu Garden Place est également très populaire. Seize millions de personnes ont visité le Grand Beer Hall en 1994, l'année d'ouverture, plus qu'à Disneyland Tokyo et quatre fois plus que prévu. Il s'agit de « touristes urbains », de consommateurs à la fois de biens (grands magasins, bière…) et d'un nouvel espace public. En fait, cet espace public est totalement privé. S'il n'est pas entouré de barrières et s'il est facilement accessible, il est bien protégé par sa cohorte de gardes privés et par ses accès guidés. Une allée spéciale conduit les consommateurs dès la sortie de la gare JR d'Ebisu, à travers un long tube (le *sky walk*, 400 m de long, avec une succession de tapis roulants qui permettent d'effectuer le trajet en trois minutes) jusqu'à la principale entrée, frontale, de la Yebisu Garden Place : la *piazza* d'entrée (Marionette Clock Square). Puis un long et large plan doucement incliné conduit au « central square », où se trouvent fontaines et cafés. Entourée par les boutiques et le grand magasin Mitsukoshi (qui appartient au groupe Mitsui), cette « place » est recouverte par une gigantesque verrière. À droite : la tour principale de bureaux ; devant : le restaurant Taillevent-Robuchon ; derrière : les immeubles de logements et l'hôtel. Dallage, pavage et végétation sont lisses et fignolés. La richesse transpire par tous les détails.

La logique est ici totalement commerciale. Même le musée privé de la bière Yebisu, à l'entrée libre, est bien mieux situé que le musée métropolitain de la photographie, à l'entrée payante. Le logo et la présence de Sapporo Cie sont partout. Cet « espace à utilité publique » se situe sur un « territoire plus que privé ». C'est un espace de mobilité, cette suprême vertu de la post-modernité et du capitalisme flexible. Le consommateur doit bouger. Et s'il veut s'asseoir, il ne trouvera pas de bancs mais des cafés. Il n'est pas obligé d'acheter mais il transite par le monde marchand. La place d'entrée n'a rien de l'agora du peuple. On n'y fait que passer, à moins de regarder debout le carillon installé là. Cet espace est aussi vide que la « place des Citoyens » construite devant le nouvel hôtel de ville de Tokyo à Shinjuku[1].

À Yebisu Garden Place, l'ambition de créer un nouveau paysage urbain n'est pas reliée aux schémas traditionnels du consensus spatial japonais, excepté le logo du dragon Yebisu, symbole des bières Sapporo. L'anglais est également utilisé pour promouvoir une image de modernité (*garden place*), d'une façon ambiguë

1. Jean-Christian Falquet, « Shinjuku, l'environnement urbain d'un quartier d'affaires de Tokyo », *Historiens & Géographes*, numéro 342, 1993, p. 247-258.

d'ailleurs car cette expression fait allusion aux *garden cities* qui n'ont pas grand-chose à voir avec la Yebisu Garden Place. Néanmoins, il se dégage une façon typiquement japonaise de juxtaposer de façon kitsch différentes architectures et atmosphères, toutes liées à l'idée de luxe, version française. Pour le tout-venant s'offrent cafés-terrasses, boulangerie et pâtisserie françaises. Même le Mac Donald's glocal a pris le nom de Mac Café. Les plus aisés peuvent fréquenter le restaurant Taillevent-Robuchon, qui est installé dans un bâtiment reproduisant à l'identique un château classique, avec des matériaux (pierre, tuiles…) spécialement et richement importés de France. En cherchant bien, on peut trouver un petit sanctuaire shintô installé à l'arrière du siège social de Sapporo Cie. L'ensemble ressemble plus à un *mall* américain qu'à la place des Vosges.

Sous ses apparences extérieures et ses formes, la Yebisu Garden Place n'est pas le vrai monde, mais un compromis entre Ginza, Disneyland et Moulinsart, une bulle intemporelle, avec ses images artificielles en Technicolor, un véritable miroir de la période de bulle elle-même. Et ça marche.

« *Glocal* Tokyo »,
publié dans la revue *Daruma*, numéro 3
Éditions Philippe Picquier, 1998

L'exemple évoqué est celui de Yebisu Garden Place (station Ebisu sur la ligne Yamanote), mais on pourrait en dire autant – et même pire – de nombreux sites de la capitale : Omote-sandô Hills, Roppongi Hills et Tokyo Midtown (Roppongi), Shin Marunouchi (en face de la gare de Tokyo), etc. Gigantisme, élégance, fluidité : conçus pour faciliter le libre-échange des biens et des informations et la circulation des personnes, ces méga-complexes se disent à la pointe de la modernité urbaine et sont en train d'opérer une redéfinition radicale du paysage et des fonctions traditionnelles de la ville. Ses promoteurs mettent en avant l'image d'une cité interac-tive, avec une haute qualité de vie, une forte créativité intellectuelle et des exigences élevées en matière d'envi-ronnement. Ses détracteurs s'inquiètent de la mainmise des compagnies privées sur l'espace public (Yebisu Garden Place appartient à Sapporo, Tokyo Midtown à Mitsui, Shin Marunouchi à Mitsubishi, Omote-sandô Hills et Roppongi Hills à Mori Building) : ils dénoncent aussi l'abandon de la grande banlieue, l'oubli de la mixité sociale au profit de la mixité fonctionnelle et mettent en garde contre la confusion entretenue entre les notions de communication, de consommation et de culture, condui-sant à une « disneylandisation » de la ville.

Cette nouvelle conception de la ville est en train de se répandre dans les grandes cités industrialisées de la pla-nète. Parlant du centre de Berlin, la Potsdamer Platz, le célèbre architecte Renzo Piano – auteur de plusieurs bâti-ments au Japon, dont le terminal de l'aéroport du Kansai et la Maison Hermès de Tokyo (Ginza) et connu pour son engagement en faveur d'une « architecture durable » res-pectueuse des habitants – évoque les multiples fonctions de l'espace qui y sont concentrés (« des habitations, des bureaux, des cinémas, des centres pour le shopping ») et conclut : « Ce lieu a été pensé pour englober toutes ces fonctions afin que la vie y soit présente vingt-quatre heures sur vingt-quatre[1]. » On peut aussi avancer que

---

1. Renzo Piano, *La désobéissance de l'architecte*, traduit de l'italien par Olivier Favier, Arléa, 2007, p. 58.

l'idée est de rentabiliser au maximum l'espace disponible en multipliant les offres de services : le jour, la nuit, le temps libre, tout est « optimisé » pour générer le plus de profits possible... Alors, aspiration géniale de créateurs visionnaires ? Ou version idéalisée d'un phénomène aux enjeux financiers considérables ? Quoi qu'il en soit, nulle part aujourd'hui cette tendance n'est plus visible qu'à Tokyo.

PIERRE LOTI

Un coin de vieux Japon

La ville des temples, c'est Kyôto. Mais à Tokyo même se nichent de nombreux lieux de culte. Simples auvents destinés à une prière rapide ou à quelques offrandes de circonstance, ou sanctuaires plus importants chargés d'histoire et de légendes, on les trouve soudain au détour d'une rue, coincés entre deux immeubles, tapis dans l'ombre d'un cimetière ou sur le versant d'une voie ferrée. Ce sont les vestiges patients d'un autre Japon, qui n'a pas tout à fait disparu : ils donnent à cette ville moderne et affairée une touche anachronique, précieuse et décalée. Rien d'étonnant à ce que Pierre Loti (1850-1923) s'y intéresse : venu à cinq reprises au Japon, il y cherche surtout un Japon de mousmés, d'estampes et de pagodes, fidèle à l'image très dix-neuviémiste qu'il s'en fait. Étonnant Loti : dans ses livres sur le Japon, on trouve des remarques douteuses et des préjugés racistes, mêlés à de remarquables descriptions des gens et des paysages. Dans le passage qui suit, juste après des lignes déplorables sur l'odeur des Japonais – qui sentent « l'huile de camélia rancie », « la bête fauve » et « la race jaune »… –, il offre une description magnifique d'Asakusa.

La Saksa, c'est-à-dire une haute et immense pagode, d'un rouge sombre, et une tour à cinq étages de même couleur, dominant un préau d'arbres centenaires tout rempli de boutiques et de mondes. C'est un coin de vieux Japon ici, et un des meilleurs ; il y a du reste, aujourd'hui même, un *matsouri* (c'est-à-dire une fête et un pèlerinage); je m'en doutais : à la Saksa, c'est presque un matsouri perpétuel. Et des légions de *mousmés* sont là en belle toilette, des *mousmés* comiques et des *mousmés* jolies; dans tous ces beaux chignons, si bien lissés, qu'elles savent se faire, sont piquées des fleurettes fantastiques ne ressemblant à aucune fleur réelle; au bas de tous ces petits dos frêles et gracieux, déviés en avant par l'abus héréditaire de la révérence, des ceintures de couleurs très cherchées font de larges coques en forme d'ailes, comme si des papillons énormes étaient venus là se poser.

[...]

De toute cette foule s'élève un bruissement de rires et de voix légères, beaucoup plus discret, plus poli, plus comme il faut que le brouhaha de nos foules françaises.

Le ciel au-dessus de nos têtes est bien un ciel d'hiver, d'un bleu pâli et froid. Les arbres de ce préau, qui sont très âgés et immenses, étendent dans l'air leurs longs bras dépouillés [...]. Au milieu de leurs branches, la tour à cinq étages se lève, svelte et étrange, dessinant sur la lumière froide d'en haut les cornes de ses cinq toitures superposées, tout le découpage de sa silhouette rougeâtre, d'une japonerie excessive. Et enfin le grand temple, hérissé d'autres cornes, et inégalement rouge, d'une couleur de sang qui aurait séché, occupe tout le fond du tableau, avec sa masse carrée, écrasante.

C'est un des lieux d'adoration les plus antiques et les plus célèbres d'Yeddo, cette Saksa. La partie du sanctuaire qui est ouverte aux fidèles et où j'entre avec la foule, semble une sorte de halle, haute et sombre, peinte en rouge sanglant comme l'extérieur; les portes en sont relativement basses pour laisser, suivant l'usage, de l'obscurité et du vague à la voûte élevée, d'où pendent d'énormes girandoles de métal et où de vieilles diableries s'esquissent dans l'ombre. Très peu de recueillement sous cette colonnade de cèdres, où les groupes circulent et causent, éclairés par des reflets d'une lumière d'hiver rasant le sol. Il serait même nécessaire « de chasser les vendeurs » de ce temple, car il y a contre tous les piliers des changeurs d'argent, des marchands d'images, de livres religieux ou de fleurs. Des bébés vont et viennent, courent, s'appellent, avec des petites voix plus sonores ici et plus bruyantes. Des pigeons volent en tous sens, pour se percher sur les lanternes, sur les hampes des bannières, mêlant au murmure des conversations le bruit ronflant de leurs ailes : il y a aussi le son des pièces de monnaie, des offrandes continuellement lancées, et tombant dans des troncs carrés à claire-voie semblables à de grandes cages ; et puis, de côté et d'autre, devant des autels privilégiés, devant certaines images, certains symboles, on entend de ces rapides claquements de mains, pan pan, qu'on fait pendant la prière pour appeler l'attention des Esprits.

Dans un gigantesque brûle-parfums de bronze, sur le couvercle duquel ricane un monstre gros comme un gros chien, tous les fidèles qui passent jettent des baguettes d'encens, et il en sort en spirale une fumée odorante qui s'en va flotter aux voûtes, parmi l'enchevêtrement des chimères et des girandoles, comme un nuage.

Au fond du temple, dans un recul plein de mystère, à la lueur de hauts lampadaires magnifiques, dans une demi-obscurité voulue, derrière des colonnes et des barrières ajourées, à travers un fouillis de lanternes, de bannières, de brûle-parfums et de gerbes de lotus en bronze, on aperçoit confusément les dieux, qui sont des colosses au sourire assez calme, se détachant sur des fonds en laque d'or.

« Yeddo », *in Japoneries d'automne* (1889)

Pour goûter au vieux Japon à Tokyo... À part le Sensô-ji d'Asakusa dont parle Loti, quelques lieux de culte : le Sengaku-ji, qui abrite les tombes des 47 *ronin*, samouraïs emblématiques de la fidélité (station Sengakuji, ligne Toei Asakusa) ; le controversé Yasukuni-jinja, dédié aux victimes des guerres entre 1853 et 1945, et qui abrite les restes de criminels de guerre (station Kudanshita, lignes Hanzomon, Shinjuku ou Tozai). Enfin, l'un des plus agréables : Meiji-jingû (station Harajuku, ligne Yamanote). Situé dans un des quartiers les plus animés, on y arrive après une belle promenade entre les arbres. Mais il y en a d'autres...

LOUIS DANVERS, CHARLES TATUM JR
(ÔSHIMA NAGISA)

Un patchwork insensé

Il y a peu de villes aussi impressionnantes visuellement que Tokyo : photogénique, télégénique, cinégénique, la ville offre un immense panorama de ressources optiques, de visions inédites, d'angles inattendus. Le cinéaste Ôshima Nagisa (né en 1932), est un de ceux qui ont su le mieux filmer cette étonnante variété de points de vue et de perspectives. Dans l'essai qu'ils lui consacrent, deux critiques belges reviennent sur son Journal du voleur de Shinjuku, *film à mi-chemin entre le documentaire et la fiction, réalisé dans des conditions proches de l'amateurisme (tournage partiel en 16 millimètres, matériel léger, techniques empruntées au cinéma-vérité), dans lequel Ôshima s'intéresse à l'un des quartiers les plus attachants de Tokyo. Cinéaste radical, souvent scandaleux, politiquement engagé et esthétiquement novateur, Ôshima sait rendre sensible, à travers la chronique de la jeunesse de Shinjuku, l'extraordinaire mosaïque de Tokyo, ville de rencontres, d'errances et de télescopages.*

– Journal du voleur de Shinjuku – Shinjuku est à la fois un quartier populaire de Tokyo et l'équivalent local du Quartier latin parisien. Point de rencontre des intellectuels, des jeunes, des marginaux, creuset de la vie culturelle et artistique japonaise, c'est le lieu privilégié où germent tous les espoirs d'une génération qui étouffe. C'est le lieu où naissent toutes les tentatives, où s'imaginent toutes les aventures. C'est à Shinjuku, aussi, que se déclarèrent les guerres estudiantines successives des années cinquante et soixante.

[...]

Troisième œuvre réalisée par Ôshima en 1969, *Shinjuku dorobo nikki*, dont le titre s'inspire de celui du livre de Jean Genet[1], traite, une fois encore, du sexe et de la mort, du désir et du politique, de l'imaginaire et du réel. Ainsi que la plupart des films de cette période (*La Pendaison* étant l'exception), il se réfère à un contexte historique précis et contemporain de sa réalisation. Le printemps et l'été de 1968 voient se multiplier à travers le monde occidental des émeutes qui expriment la plus violente et la plus radicale remise en cause de l'ordre établi. Ôshima, qui a toujours associé la libération du désir de l'individu à son affranchissement du pouvoir de l'État, retrouve, le temps d'un film, l'exaltation et l'optimisme de sa jeunesse militante. « *Ce film*, dit-il, *parle d'un garçon et d'une fille à la recherche du moment où il leur sera possible de connaître l'extase sexuelle*[2]. » Il ne fait aucun doute que ce moment ne peut coïncider, symboliquement, avec le déclenchement des émeutes estudiantines, et – c'est nouveau chez Ôshima – le plaisir n'est pas associé ici à un sentiment d'échec, à des images de mort et de pulsion destructrice.

Mais pour être « *globalement positif* », exaltant dans son propos, *Journal du voleur de Shinjuku* n'en est pas moins d'une complexité narrative déconcertante, et aucun résumé ne peut donner une image cohérente de son intrigue. Car en même temps, « *c'est l'histoire*

1. « *S'inspire ? Le mot est faible !* » (Ôshima)
2. Ôshima, dans le dossier de presse de *Journal du voleur de Shinjuku*.

de Shinjuku et de ses émeutes. J'ai essayé, dit encore Ôshima, *de décrire Shinjuku en tant que quartier soumis à l'agitation, à travers ces deux jeunes gens et les person-nages divers qu'ils sont appelés à rencontrer*[1] ».

De fait, en suivant Birdey et Umeko dans leurs més-aventures erratiques, le cinéaste se livre à une dissection d'un Shinjuku devenu microcosme où se télescopent dans une anarchie formelle d'apparence très godar-dienne, tous les éléments réels ou imaginaires de l'uni-vers ôshimien. *Journal du voleur de Shinjuku* est un patchwork insensé, une mosaïque où la notion même de niveau de réalité perd son sens, un film ludique qui met le jugement de ses spectateurs à rude épreuve, tant le faux s'y mêle au vrai, tant le réel s'y confond avec l'imaginaire.

Nagisa Ôshima
© Éditions Cahiers du cinéma, 1986

1. *Idem.*

MARYSE CONDÉ

Pachydermique, pléthorique et magique

*Les auteurs caribéens qui ont écrit sur Tokyo sont rares.
Leur regard en est d'autant plus précieux. À partir de réfé-
rences rarement utilisées pour penser la capitale japonaise
– un conte africain, un souvenir de Césaire, un concept
d'Édouard Glissant –, l'écrivaine guadeloupéenne Maryse
Condé (née en 1937) réfléchit sur la fascination ambiguë
qu'exerce Tokyo sur elle, mais aussi sur les ressources que
peut fournir cette ville, pour l'introspection autant que pour
la découverte de l'autre, dans son énigme bouleversante.*

Chaque fois que j'aborde à Tokyo, me revient à l'esprit un conte africain, entendu je ne sais plus où et que
j'ai intitulé à ma fantaisie « Le Bébé monstrueux ou La
Naissance extraordinaire ». Dans un petit village du
Sahel, une femme accouche d'un enfant mâle. À peine
est-il sorti de son ventre que le nouveau-né chasse les
parentes venues apporter leur secours, s'exprime d'une
voix forte, se met debout sur ses pieds, réclame de la
nourriture solide, la dévore et pour finir, étouffe la
femme dans une étreinte trop violente. L'enfant tue la
mère. La ville tue l'humain. L'empereur Meiji dans ses
rêves les plus fous ne pouvait rêver qu'un jour, Edo don-
nerait Tokyo.

[...] Je me perds dans Tokyo, pachydermique, plétho-
rique et magique, bric-à-brac de tours dont l'arrogance

n'a rien à envier à celle des funestes jumelles new-yor-
kaises, d'artères encombrées, de paisibles ruelles fleuries,
de restaurants, de bars à bière ou à saké que servent des
mutants aux cheveux verts ou violets, de Lawson et de
Starbucks Coffee. Tokyo où les invités à dîner s'éclipsent
le repas à peine avalé, à cause de l'interminable trajet
qui les attend. Où pour vous conduire, les chauffeurs de
taxi demandent le plan du quartier où vous voulez vous
rendre. Des cortèges de vieilles dames prennent le petit
déjeuner au «Saint-Germain» tandis que des enfants-
moineaux (frêles, si frêles!), coiffés de bobs assortis à
leurs uniformes sautillent vers leur école sans prendre
la peine de me regarder. Ils en voient d'autres dans leurs
dessins animés télévisés! Sur les façades, à hauteur de
ciel, les affiches au néon vociférant dans leur langue,
somptueuse et hermétique, vous aveuglent de leurs cris
sitôt la tombée du soleil.

Pourtant, on me tendrait un fil d'Ariane pour me
retrouver dans ce labyrinthe que je ne le saisirais pas.
Au bout de quelques jours, le touriste le plus obtus
arrive à balbutier «*arigato*», «*domo*», «*konichiwa*»,
«*sumimasen*». Il commence à manier maladroitement
des baguettes, à faire des courbettes et ainsi, à coups de
gestes futiles, il se berce de l'illusion qu'il signifie à ceux
qui l'entourent qu'il est dans leur camp. Il tient à leur
prouver qu'il renie Pierre Loti (et ses pareils) qui écrivait
dans *Madame Chrysanthème* (1887) :

«Comme nous sommes loin de ce peuple japonais,
comme nous sommes de race dissemblable!» (p. 35).

Moi, je m'y refuse absolument. Denis Hay dans *Europe : the Emergence of an Idea* (1968), parle de l'idée de l'Europe. Selon lui, elle définit les Européens face… à tous ceux qui ne sont pas des Européens. Cette mythologie n'est pas la mienne ! D'où suis-je ? Ethniquement Africaine, culturellement Caribéenne, juridiquement Française. En outre, j'ai tant souffert de ce concept de race que je n'y crois plus ! Existe-t-il une race japonaise ? Mystère et boule de gomme ! Les Japonais sont-ils « le peuple le plus laid de la terre physiquement parlant » ? (Pierre Loti) « Le plus beau » ? (Roland Barthes) Les femmes y ont-elles l'air de servantes ainsi que l'affirme Henri Michaux ? Autour de moi, je vois des beaux. Je vois des laids.

Si je ne veux rien comprendre à Tokyo, c'est que, protégée par cette bienheureuse opacité[1], tel un fœtus au fin fond d'un utérus, je peux enfin me fermer à tous les bruits. Toujours, en tous lieux, ma quête de MOI-MÊME a été parasitée, empêchée par le problème identitaire. Jamais, je n'ai eu le loisir de me poser ces questions autrement complexes. Quel genre de personne suis-je exactement ? Ai-je bon cœur ? Suis-je timide ? Ou sauvage ? Ou arrogante ? Pourquoi est-ce que j'aime tant la musique triste, les requiems, le *Stabat Mater* de Vivaldi ? Pourquoi n'ai-je jamais écrit de poésie ? Même à seize ans ? Ai-je pu survivre, intacte, à mon enfance ?

Ô, délices de l'introspection ! Dans cet environnement qui ne m'offre pas de repères, je peux plonger et replonger dans mes eaux intérieures comme un scaphandrier néophyte.

1. J'emprunte le concept à Édouard Glissant qui l'avait emprunté à Frantz Fanon en son temps.

[...]

J'entends déjà les esprits critiques. Allons donc ! Vous vous payez de mots. Votre opacité porte un nom bien connu. Pour vous, comme pour la majorité des visiteurs étrangers, le Japon n'est qu'un haut lieu de l'exotisme.

Je ne le crois pas. Bonne élève de Suzanne Césaire, pour moi, l'exotisme est indéfendable. Victor Segalen dans son *Essai sur l'exotisme* (1978), prétend lui insuffler un sang nouveau et tente de le débarrasser de ses motifs coloniaux. En fin de compte, il ne peut échapper à sa taxinomie. Fondamentalement, l'exotisme implique une relation de pouvoir et de domination, crûment illustrée sur le plan sexuel par Pierre Loti et madame Chrysanthème, par Flaubert et Kuchuk Hanem, etc. Il sous-entend des entrées faciles et galvaudées dans le pays de l'autre, la chosification vulgaire de sa culture. Par exemple, j'en exempte Malraux ébloui par le mystère des peintres de Saint-Soleil.

Dans un premier temps, l'objet opaque risque de déranger, voire de déplaire. Ensuite, il inscrit sa fascination au creux de ce bouleversement. L'opacité ne peut fonctionner qu'entre les êtres qui font fi de l'ethnocentrisme. Il se fonde sur la simple et précieuse notion de différence.

« Le monde à l'envers ou l'Empire des signes revisité »,
in *La tentation de la France, la tentation du Japon*
© Éditions Philippe Picquier, 2003

REVERS DE LA VILLE

PAUL CLAUDEL

Le Cyclope endormi

Paul Claudel (1868-1955) a été Ambassadeur de France au Japon de 1921 à 1927, où il a laissé une empreinte durable, notamment à Tokyo (il y fonde la Maison franco-japonaise en 1924). Son œuvre poétique et théâtrale garde des traces profondes de son long séjour et de sa fréquentation assidue de la culture nippone, mais le grand tremblement de terre de 1923 lui laissa également un souvenir marquant, comme en témoigne ce texte saisissant, un des premiers – et des plus beaux – écrits sur Tokyo, « ville-catastrophe ».

À gauche, une montagne de brume éclairée d'une lumière rougeâtre, c'est Tokyo qui brûle.

À Tokyo, les trois quarts de la ville détruits, 400 000 maisons, 1 500 000 personnes sans abri, 70 000 cadavres relevés jusqu'à ce jour. C'est ici la capitale, la partie essentielle du pays, là où, plus encore qu'à Paris, se sont concentrées toutes les richesses, toutes les forces motrices, toute la joie, toute la science. Le Tokyo historique des bas quartiers, le pays légendaire des Roseaux le long de la Sumida qui vit s'élever les premières huttes de Edo, avant que les Tokugawa en fissent leur forteresse, à partir des hauteurs de Kudan où se dresse la porte de bronze dédiée aux morts de la Victoire, à partir des murailles cyclopéennes qui entourent le Château impérial, jusqu'à la mer, n'est plus qu'un désert de cendres rougeâtres, parsemé de feuilles de zinc. Rien n'arrête le regard, sauf le bloc des grands *buildings* américains qui est resté debout, sauf les deux lignes lamentables des édifices de la *Ginza*, la rue centrale, qui montrent, comme un immense gibet, toute la variété des mutilations et des tortures que le feu a pu imposer à des œuvres humaines, à ces êtres à demi humains de fer et de brique.

Les marchands de crépons et de brocarts, la rue des marchands de bibelots, Nakadori, avec ses accumulations de trésors, Nihonbashi, Shimbashi, le quartier des restaurants et des maisons de thé élégantes, Kanda, le quartier des Écoles, l'Université impériale, Asakusa, le domaine des joies populaires avec son Yoshiwara et son temple de Kwannon, puis, de l'autre côté de la Sumida, Riyogoku, la grande arène des lutteurs, et indéfiniment ces immenses quartiers où vivait à fleur d'eau dans la rizière à peine comblée, dans la pesante émanation des vapeurs chimiques, tout un peuple misérable et résigné, la hutte du paria, la boutique du graveur de sceaux, la roulotte du nettoyeur de pipes, et à côté les grands théâtres, le musée Okura bondé de laques d'or et d'étoffes royales, les restaurants superbes qui exhibaient chaque jour au fond de leur tokonoma une peinture différente de Kôrin ou de Sesshiu, tout cela a été balayé par la flamme. C'est le vieux Japon qui disparaît d'un seul coup pour faire place à l'avenir, dans un holocauste comparable à la consommation d'Alaric. Des tramways, au milieu des rues, il ne reste plus que des tas de ferrailles dans un enchevêtrement de poteaux et de fils. Une grande haleine de feu a soufflé. L'eau des étangs elle-même s'est mise à bouillir ; une infirmière belge, Mademoiselle Parmentier, a passé la nuit dans une cave inondée et fumante avec un typhique sur les genoux ; deux mille femmes ont cuit peu à peu dans les mares d'Asakusa. Mais c'est à Honjô, dans le quartier le plus misérable de la métropole industrielle, que la plus grande trappe s'est trouvée disposée, une vaste place vide dans un ancien établissement d'équipements militaires où trente mille infortunés avaient cherché refuge. Le feu les a entourés de toutes parts, ils ont péri. L'eau noire et stagnante autour d'eux est couverte d'une couche de graisse humaine. Au-dessus, dans un petit poste de police en ciment armé, on voit cinq cadavres accroupis. Ce sont des agents qui se sont laissé consumer sur place plutôt que d'abandonner leur poste.

– Le 1er septembre est le 210e jour de l'ancien calendrier chinois. C'est une date que les Japonais attendent toujours avec angoisse, car elle décide du succès de la récolte du riz et coïncide en général avec le passage des grands typhons. Le Japon est, plus qu'aucune autre partie de la planète, un pays de danger et d'alerte continuelle, toujours exposé à quelque catastrophe : raz de marée, cyclone, éruption, tremblement de terre, incendie, inondation. Son sol n'a aucune solidité. Il est fait de molles alluvions le long d'un empilement précaire de matériaux disjoints, pierres et sable, lave et cendres, que maintiennent les racines tenaces d'une végétation semitropicale[1]. Dès notre arrivée à Tokyo, accueillis par ces frissons de la terre, ces grondements sous nos pieds, ces

---

1. Une légende japonaise prétend que la grande île repose sur un poisson qui se débat de temps en temps. Une autre dit qu'il n'y a qu'un point dans tout le Japon qui ne bouge jamais. On l'appelle le manche de l'éventail, qui reste seul immobile tandis que tout le reste s'agite.

conflagrations incessantes, nous avions compris de quel Cyclope à demi endormi sous les feuillages et les fleurs nous étions les hôtes.

« À travers les villes en flammes »
(septembre 1923), in *Œuvres en prose*
© Éditions Gallimard

Pour la majorité des Japonais, le tremblement de terre de 1923 est un repère temporel plus important que la Première Guerre mondiale. Il marque aussi une date importante dans l'histoire de Tokyo ; outre les ravages du séisme lui-même (magnitude 8,3 sur l'échelle de Richter), la catastrophe fut suivie d'un incendie et d'un raz de marée, qui détruisirent presque totalement toute la zone urbaine s'étendant de Tokyo à Yokohama, faisant plus de 140 000 morts, beaucoup d'entre eux – comme le rappelle Claudel – brûlés vifs.

Malgré la prise de conscience due au séisme de Kôbe, qui fit 5 000 victimes en 1995, et les progrès de la technologie (les Japonais ont mis au point le plus grand simulateur du monde, et le sous-sol de l'Archipel est truffé de capteurs sismiques, électriques, géodésiques, magnétiques… qui enregistrent les moindres vibrations de l'écorce terrestre), prédire les séismes est pour l'instant impossible, aussi bien pour leur évaluation que pour leur localisation. Il faut dire que Tokyo est située sur un de socles les plus vulnérables de la planète, à la jonction de quatre plaques tectoniques. De plus, le réseau arachnéen des ruelles labyrinthiques, la toile de béton des autoroutes suspendues, les nombreuses parties de la ville situées sur des terrains meubles gagnés sur la mer, les petites maisons de bois et de papier disséminées dans certains quartiers, la densité de la population… tout laisse prévoir une catastrophe de grande ampleur, y compris pour l'économie mondiale, dont le Japon est une des principales locomotives. Tels sont les énormes risques tapis au revers tellurique de la ville, au grand dam de Claudel, s'indignant qu'on ait pu «placer la capitale d'un pays sur ce couvercle de chaudière».

Une cité aseptisée

Les risques naturels ne sont pas les seuls dangers qui mena-
cent la ville : les hommes sont plus dangereux encore. Né
en 1955, Fujiwara Tomomi est journaliste. Il a reçu le pres-
tigieux prix Akutagawa en 1992 pour son livre Le Conduc-
teur de métro, *dont le titre dit déjà l'intérêt qu'il porte à la*
description des zones urbaines, de leurs travailleurs et de
leurs habitants. Dans son roman Ratage, *il évoque sous*
une forme fictionnelle l'évolution de la ville au tournant
du XXIᵉ siècle.

Pour se rendre à la cité maritime, la seule voie d'accès, c'est le pont suspendu, que l'on traverse en monorail ou en voiture. Si pour une raison quelconque ce
pont devenait impraticable, la cité serait coupée du
reste du monde. Comment les trente ou quarante mille
personnes qui y travaillent rejoindraient-elles alors
l'autre côté ?

Sur cette immense île artificielle, on voit partout les
blessures rougeâtres des chantiers de construction.
Quoique le pourtour de l'île ait été aménagé en parc et
en promenade, les arbres et les pelouses ont du mal à
pousser, et le paysage reste si désolé que, même à l'heure
du déjeuner, peu de gens viennent y flâner.

Depuis un an, quelques immeubles de bureaux, des

hôtels, ainsi qu'une tour de communication ont surgi ici et là, comme des arbres morts au milieu de ce terrain plat et désertique. On avait bien prévu de construire des appartements, des théâtres, des centres sportifs, mais les entreprises ont fini, les unes après les autres, par renvoyer ces projets aux calendes grecques.

Il y a peu d'espoir, pour le moment, de voir ce paysage évoluer.

Grosso modo, la cité forme un carré et, au point d'intersection des diagonales, se dresse un gratte-ciel qui semble surveiller et administrer la ville tout entière. Plus haute et plus importante que les autres, cette tour ovale est le siège d'une société qui, après avoir débuté dans l'exploitation minière il y a quatre-vingts ans, a étendu ses activités à la pétrochimie et à la pharmacie. Elle est reliée à la station du monorail par un passage de deux cents mètres, couvert d'un toit transparent. Chaque matin, avant neuf heures, une foule ininterrompue de salariés – cinq mille personnes – emprunte ce passage. J'en fais partie.

Le rez-de-chaussée de la tour abrite l'unique commissariat de police de l'île mais celui-ci ne fonctionne pas la nuit. Même dans la journée il est rare d'apercevoir un policier dans le local vitré.

D'ailleurs, jusqu'ici, aucun crime n'a été signalé dans la cité.

Guntai, 1994,
traduit sous le titre *Ratage*
par Aude Fieschi et Chiharu Tanaka
© Éditions Stock, 1997

Tokyo s'est construite autour de la baie qui porte son nom mais aussi sur la mer elle-même : près de 10% du territoire de la ville (dont des quartiers comme Hibiya, Tsukiji, Ginza…) ont été gagnés sur la mer : c'est ce qu'on appelle les *umetatechi* (remblais côtiers). Longtemps consacré aux activités industrialo-portuaires, le rivage a pratiquement disparu de l'image qu'on se faisait de la ville au cours de la période de haute croissance économique : «Inaccessible ou interdit, celui-ci est refoulé aux marges de la ville et de l'urbanité», comme l'écrit Rémi Scoccimarro, qui note cependant le regain d'intérêt récent des Japonais pour leur littoral[1].

La baie de Tokyo a été le théâtre de projets pharaoniques, comme Aeropolis (1989) ou, en collaboration avec l'architecte Norman Foster, la Millenium Tower (1990). Dès 1960, le *Plan pour un Tokyo de 15 millions d'habitants* de Tange Kenzô avait fasciné les architectes du monde entier par son gigantisme, la partition musicale de ses îlots résidentiels, ses rues à niveaux superposés et ses ponts suspendus. Tange y prônait «une spatialité fluide, ouverte et démocratique»… Quelques années plus tard, Fujiwara sonne l'alerte, en décrivant les ratages d'une ville ultramoderne, policée et aseptisée, entre Big Brother et Franz Kafka. La catastrophe gronde… Ravage : bientôt ce gratte-ciel immense, siège d'une multinationale tentaculaire, sera envahi par les rats.

1. «Faire, défaire, refaire la ville : les avancées sur la mer…», *Japon pluriel* 6, Picquier, 2006.

MARGUERITE YOURCENAR

Stéréotypes

Marguerite Yourcenar (1903-1987) est venue une seule fois au Japon, en 1982. Le pays a exercé sur elle une grande attirance, comme le montre une de ses nouvelles reprenant l'histoire du Genji *(grand classique de la littérature japonaise), son essai sur Mishima ou ses notes de voyage réunies dans* Le tour de la prison. *Mais il s'agit plutôt du Japon traditionnel, Kyôto, haïkus, nô et kimonos. Pour la ville de Tokyo au contraire, elle trouve les mots les plus durs, les reproches les plus cinglants.*

Onze millions de robots impressionnent toujours, même subdivisibles en groupes, sinon en castes, et finalement en individus plus ou moins différenciés comme nous tous. Le Tout-Tokyo des mondanités et des élégances internationales ; le Tokyo de la politique et celui de la finance, fondus l'un dans l'autre ; la foule amorphe des employés de bureau et de *Depâto* (*Department stores*, c'est-à-dire grands magasins qui ont à Tokyo le prestige qu'ils eurent chez nous au début du siècle) ; les jeunes secrétaires fraîchement émoulues de leurs écoles, arborant le vêtement quasi obligatoire de leur profession, la jupe impeccable et la blouse parfaite ; les écoliers presque toujours par troupes, portant, s'ils sont garçons, un uniforme qui rappelle point par point celui des lycéens français du XIXᵉ siècle, s'ils sont filles, une jupe bleu-noir battant les mollets, de gros bas et des souliers du genre « baskets », une veste « ne marquant pas les formes », comme le disaient naguère les bonnes sœurs, et une collerette blanche, en somme, le costume des élèves de pensionnats religieux dans la France d'autrefois ; ouvriers en bleu avalant leurs nouilles dans de petites gargotes coincées çà et là aux abords de la *Ginza*[1] tout éclaboussée de néon le soir et de bruit nuit et jour ; onze millions exerçant comme nous tous leurs petites libertés à travers des contraintes si habituelles qu'on ne les sent plus : déblatérer contre le patron (on assure que certaines grandes compagnies offrent aux employés mécontents, pour soulager leur rancune, une effigie du patron sur laquelle taper) ; aller le soir au bain public ou aux cafés dans lesquels on s'abreuve de rock, ou bien au cinéma ; choisir de déjeuner d'une soupe aux haricots rouges ou de riz coagulé flanqué d'un œuf cru, de faire l'amour dans un *love hotel* où l'on échappe à la promiscuité familiale, ou de dormir tous ensemble sur les couvertures de couchage à même le sol, dans le chaud cocon domestique. Les termites eux aussi ont sans doute de tels choix dans leurs termitières.

On pense à l'extraordinaire nouvelle de Masao Yamakawa dont le principal personnage s'est trompé de porte dans son immense immeuble de moyen standing, et qui prend pour un intrus et un rival l'homme affalé sur le *tatami* qui lit ce qu'il croit être son propre journal du soir et converse à travers une paroi avec une femme

---

1. *Ginza* : littéralement : « le lieu où l'on frappait de l'argent » ; les « Champs-Élysées » de Tokyo : quartier central des magasins et des bureaux, animé jour et nuit, où les bars, restaurants et clubs privés sont implantés par milliers.

qu'il suppose la sienne. Plus tard, horrifié par cette uniformité, non seulement des objets et des lieux, mais aussi des réactions à heure fixe, le malheureux s'irritera d'entendre la toilette fonctionner à l'étage au-dessus en même temps que chez lui, et le même programme de radio branché à la même heure. La fin du conte est ironique : il se procure une charge de dynamite, seulement pour s'apercevoir que son voisin en a fait autant. Même la révolte est stéréotypée.

Elle se produit pourtant çà et là, et mille secousses ressenties au Japon chaque jour, pour la plupart imperceptibles et notées seulement par les séismographes, quelques-unes au contraire aussi destructrices que l'arme absolue, sont les symboles de cette sensibilité sous pression. Le suicide (bien que les statistiques placent sur ce point le Japon plus bas que la Suède ou la France), le crime, comme ce fut le cas le jour de notre arrivée à Tokyo, où cinq personnes périrent égorgées par un étudiant, leur voisin, qu'agaçait la télévision, sont la lave qui sourd du volcan. [...] Il serait ridicule d'extrapoler à l'aide de ces faits un Japon occupé à se faire harakiri ; il serait sot de ne pas voir, sous le gigantisme et l'occidentalisation forcenée, les points névralgiques de non-retour.

« Tokyo ou Edo », in *Le Tour de la prison*,
© Éditions Gallimard, 1991

L'auteur de *L'Œuvre au noir* n'a-t-elle pas noirci le tableau ? Paradoxe pour un texte dénonçant le conformisme et les stéréotypes, il n'échappe pas lui-même aux clichés les plus éculés sur le Japon moderne, y compris dans son vocabulaire condescendant (robots, termites...).

Revers de la ville

Cela n'empêche pas Yourcenar de repérer quelques-unes des souffrances qui rongent la ville, mais à cette énorme protestation pleine de hargne contre Tokyo, on pourra préférer un haïku de Kaneko Tôta qui, en quelques lignes et une comparaison suggestive, en dit peut-être davantage sur le malheur de ses habitants[1] :

> Les employés de banque
> miroitent au matin
> comme des calamars

1. Kaneko Tôta, in *Haïku*, anthologie du poème court japonais, choix et trad. de Corinne Atlan et Zéno Bianu, Gallimard, 2002, p. 201.

LIVIO SACCHI

Shopping et *fashion victims*

Livio Sacchi est architecte et professeur de dessin d'architecture à la faculté d'architecture de Pescara. Il vit et travaille à Rome. On lui doit de nombreux ouvrages, portant sur la relation entre architecture et paysage. Son livre sur Tokyo est un des tout meilleurs sur le sujet. Sacchi en pointe l'une des composantes importantes : le shopping. Distraction, loisir, passion... qui peut aller jusqu'à des comportements quasi pathologiques.

Le culte du shopping est l'une des principales conséquences d'une société de consommation. Si la société japonaise est plus consommatrice encore que les autres, elle le doit essentiellement à son opulence. Depuis les années 1960 jusqu'au début des années 1990, rappelons-le, l'économie japonaise a connu une croissance sans égale qui a porté le pays de la condition misérable dans laquelle il s'était retrouvé à la fin de la guerre aux premiers rangs des nations les plus riches. L'industrie du luxe s'appuie sur l'existence d'acheteurs potentiels nombreux, qui sont le plus souvent des jeunes à haut revenu, ayant une propension marquée à l'achat, ainsi que sur le succès croissant des exportations de produits dessinés et réalisés au Japon. Cela vaut pour l'ensemble du Japon mais surtout pour Tokyo, où les dépenses moyennes sont significativement plus élevées qu'ailleurs[1]. En ce qui concerne la mode, la production est concentrée à Sumida, le commerce en gros à Nihon-bashi, tandis que le design, l'exposition et le commerce de détail ont leurs centres principaux à Ginza, Hara-juku et Aoyama.

La crise des années 1990, essentiellement de type financier, n'a quasiment pas modifié les habitudes des citadins – on a calculé que, même en l'absence d'une reprise, les Japonais pourraient continuer à maintenir leur niveau de vie actuel pendant vingt ans au moins. Le pays dispose donc de réserves patrimoniales considé-rables et continue à faire preuve d'une capacité de pro-duction exceptionnelle. À Tokyo, en somme, on vend et on achète tout, comme si rien – ou presque – ne s'était passé. Un peuple de *fashion victims* pour lequel le shop-ping est un impératif catégorique, sur l'autel duquel on sacrifie sans hésitation n'importe quoi : plus qu'ailleurs, le shopping prend ici les dimensions d'un phénomène psychologique de masse, et les architectures consacrées à la vente des produits de luxe constituent une compo-sante importante de l'image urbaine.

> *Tokyo : architecture et urbanisme,*
> traduit de l'italien par Odile Menegaux
> © Éditions Flammarion, 2005

Difficile de donner des adresses stables dans ce monde du turn-over permanent. Le *109* (*Ichimarukyu*), à Shi-buya, est depuis des années le point de rendez-vous des Shibuyettes en quête de shopping. Plus huppé : Omote-

---

1. Voir S. Sassen, *The Global City, New York, London, Tokyo*, Prince-town University Press, Princetown, 1991, p. 238.

sandô (où on trouve le magasin Prada, au design étonnant signé par le cabinet suisse Herzog & de Meuron),
Ginza, Daikanyama. Plus jeunes : Harajuku, Shimo-Kita-
zawa… Pour se reposer des *fashion victims*, on ira faire
un tour dans *Ameya yokochô*, une artère commerçante
haute en couleurs – mais d'un style tout différent – en
face de la gare d'Ueno. On y trouve, entre les étals de
poissons et des amoncellements d'épices, des boutiques
de fringues en solde entourées de cafés délicieusement
vieillots.

SANO SHINNICHI,
SUZUKI SHÔJI

L'Empire du déchet

*Qui dit société de consommation dit ordures. Tokyo est une
ville remarquablement propre mais le traitement des déchets
reste un problème crucial de la capitale japonaise, dont les
capacités de stockage ont aujourd'hui atteint leur limite. Le
phénomène n'est pas seulement économique ou écologique :
les résidus et les rebuts, les sanies et les scories forment l'envers de la prospérité régnant à la surface. Que fait la société
de ses déchets ? Dans la table ronde suivante (joyeusement
intitulée : « De la montagne d'ordures on voit le Japon »),
l'écrivain Sano Shinnichi dialogue avec Suzuki Shôji, pro-
priétaire de décharges et usines d'incinération, qui nous en
apprend beaucoup sur les dessous de Tokyo...*

– *Sano Shinnichi* : Depuis la Seconde Guerre mondiale, l'Archipel s'est lancé avec ardeur, au nom de la
croissance, dans la production en série et la consommation de masse. Mais, pour parler crûment, la façon
dont il s'y est pris reviendrait en fait à bâtir un palais
en oubliant de l'équiper de sanitaires. Les études que
j'ai effectuées pendant deux ans sur le problème des
déchets me conduisent à penser que le pays se trouve
sur le point d'être submergé sous ses propres détritus.
Les mesures de fortune mises en œuvre par les pouvoirs
publics, l'attitude déraisonnable des fabricants qui pro-

duisent des articles à la chaîne sans se préoccuper de leur élimination et l'appétit insatiable des consommateurs sont autant de facteurs qui ont conduit le Japon dans une impasse. [...]

– *Suzuki Shôji* : La production de déchets a commencé à monter en flèche à partir de 1960, quand le Premier ministre Ikeda Hayato a lancé son programme de croissance économique rapide. C'est vers cette époque qu'on s'est mis à parler de produits jetables. Le volume des déchets a fait un nouveau bond en 1964, au moment des Jeux olympiques de Tokyo, et atteint des proportions encore plus impressionnantes en 1972, avec l'arrivée au pouvoir du Premier ministre Tanaka Kakuei et la mise en œuvre de son grand projet de remodelage de l'Archipel. [...]

Les objets déversés dans le centre que nous avions jadis dans le département de Chiba étaient absolument stupéfiants. Nous avons vu arriver un jour deux camions chargés chacun de dix tonnes d'appareils-photos flambant neufs, mis au rebut pour la simple raison que le fabricant avait sorti de nouveaux modèles. Encombrés par des stocks de matériels périmés, les fabricants nous demandent de les débarrasser de toutes sortes d'articles : depuis les chaînes stéréo ou les machines de traitement de texte jusqu'aux paquets de nouilles, en passant par les bouteilles de shampooing ou les boissons vitaminées. Nous avons même vu arriver des ballots de chemises blanches jamais portées. Aujourd'hui, nous broyons les marchandises avant de les jeter, mais il y a quelques années, nous les enterrions telles quelles. Si l'on creusait le terrain de golf situé sur la zone remblayée de Wakasu, à Tokyo, on y trouverait des réfrigérateurs et des commodes.

« Le Japon, superpuissance du déchet, Table ronde »,
in *Cahiers du Japon*, N° 60, été 1994, p. 81-88

Tokyo a mis en place un tri extrêmement sélectif, pour les déchets ordinaires comme pour les industriels : dans tous les arrondissements, il y a un jour de ramassage pour les combustibles, un autre pour les non combustibles, un troisième pour les journaux et le verre, etc. Rien ne se perd : une grande majorité des ordures sert de remblai pour la construction d'îles artificielles dans la baie. D'autre part, de petites camionnettes sillonnent la ville pour récupérer – moyennant finances – les encombrants et les déchets électroménagers. L'Archipel entend désormais jouer un rôle de premier plan en ce domaine à l'échelle internationale : au sommet du G8 de juin 2004, le Japon a proposé le « Projet 3 R » : réduction de la production de déchets (*Reduce*), réutilisation (*Reuse*) et recyclage (*Recycle*), et aide déjà à sa mise en place au Vietnam.

Petits crimes japonais

Nishimura Kyôtarô, né en 1930 à Tokyo, est un des auteurs les plus populaires du Japon. Fasciné par les trains, qui tiennent une grande place dans ses intrigues, il brosse en filigrane le tableau d'une ville opaque, qui n'est pas épargnée par les crimes et les perversités. Habile scénariste muni d'un savoir-faire ironique, Nishimura transforme Tokyo en un vaste polar…

Il avait plu et, dans l'obscurité de la nuit, la surface du petit canal d'évacuation des eaux brillait de reflets suspects. La pleine lune de la mi-septembre perçait entre les nuages. Il était près de deux heures du matin.

Un homme marchait en titubant sur le chemin longeant le canal. C'était un employé d'une quarantaine d'années qui rentrait chez lui, dans une cité HLM voisine : en bon « salary-man[1] », deux ou trois fois par semaine, après le travail, il allait boire avec ses collègues de bureau et, régulièrement, rentrait éméché. Le canal, qui faisait à peu près un mètre de large, était par endroits recouvert de plaques de ciment. L'homme avançait en zigzag et de temps en temps, quittait le chemin pour marcher sur les dalles du canal. Le plus étrange était qu'il ne tombait jamais dans l'eau.

1. Cette expression, « L'homme qui touche un salaire », désigne le Japonais moyen, employé à col blanc dans une entreprise.

Quand il arrivait au niveau du réverbère, il était toujours pris de l'envie de se soulager. C'était un besoin irrépressible, naturel, ponctuel. Il urinait debout, face au canal, le visage tourné vers le ciel pour admirer la lune. De sentir ainsi sa vessie se vider sans contrainte lui procurait une profonde sensation de bien-être et de fraîcheur. À deux heures du matin, l'endroit était désert et dans le silence de la nuit, il avait l'impression d'être le seul homme de l'univers.

Ce soir-là, comme d'habitude, il s'arrêta, leva la tête en direction de la lune qui flottait dans les nuages, défit les boutons de sa braguette et se mit à uriner lentement en entonnant une marche militaire.

> *« En avant, en avant,*
> *Hommes et chevaux*
> *La Chine nous attend*
> *En avant, en avant »*

Il était trop jeune pour avoir fait la guerre, mais quand il était ivre l'air entraînant et facile des chansons militaires lui venait naturellement aux lèvres. Comme il n'en connaissait pas toutes les paroles, il se contentait de répéter «en avant, en avant» quand, ayant posé un regard sur la surface noire de l'eau du canal, il poussa soudain un cri.

Un visage d'homme flottait dans l'eau sale.

Il sentit aussitôt ses testicules se contracter et le jet d'urine se bloquer. Un cadavre flottait dans le canal !

– J'ai soudain vu, dans l'eau trouble, une tête qui me regardait en rigolant, expliqua-t-il peu après aux policiers.

[...]

– À voir la façon dont il est habillé, c'est sans doute un petit employé, grommela l'inspecteur Ueda en jetant un coup d'œil sur le cadavre encore trempé.

L'homme, en effet, ne payait pas de mine ; il avait une quarantaine d'années et était vêtu d'un costume bleu un peu étriqué et démodé. Comme c'est souvent le cas au Japon, un nom, Fujiwara, était brodé de fil d'argent à l'intérieur de la veste, mais le prénom était décousu.

– Regardez ce que j'ai trouvé dans sa poche.

Un des spécialistes de l'Identité Judiciaire tendit un bout de papier mouillé à l'inspecteur Ueda.

– C'est étrange, fit le jeune inspecteur Inoue, on dirait un ticket de métro, mais il est deux fois plus grand qu'un ticket ordinaire.

C'était pourtant bien un ticket de métro, plus grand que les tickets usuels, avec une carte du réseau intra-muros de Tokyo imprimée au verso.

« Métro à gogo », in *Petits Crimes japonais,*
anthologie établie par Jean-Christian Bouvier
© Éditions Payot & Rivages, 1995

Spectacle inquiétant et cocasse, la tête de cadavre qui surgit des égouts de Tokyo est un des thèmes classiques du roman policier japonais. On le trouve dès les textes du maître fondateur, Edogawa Rampo. Avec son taux de criminalité parmi les plus bas du monde, la ville se prête à merveille à cette évocation : lisse et propre en apparence, elle n'échappe pas aux disparitions non élucidées, aux crimes secrets, aux massacres absurdes ou aux meurtres méticuleusement calculés. Le crime remonte alors de sous les eaux dormantes de la cité. Pendant ce temps, la ville poursuit en surface son rythme quotidien, comme si rien ne pouvait la troubler de cet immense remue-ménage intérieur.

> *Partout des meurtres –*
> *et pourtant l'eau*
> *coule dans la nuit* [1]

1. Ozaki Hôsai (1885-1926), in *Haïku, op. cit.*, p. 191.

FRANÇOIS LAUT

Les camions noirs de la haine

François Laut (né en 1953) a séjourné au Japon de 1989 à 1998. Dans son premier roman, il dépeint la vie d'un expatrié français dans la capitale japonaise. Laut aime Tokyo, mais au passage il lance quelques coups de gueule, dont celui-ci, contre la présence bruyante à certains carrefours des camions de propagande charriant chants et discours des militants d'extrême droite.

Honte de Tokyo, ces camions noirs, blocs grillagés de haine, qui suent la mort et vociferent au haut-parleur des chants militaristes. Ils traversent la ville au ralenti et viennent battre l'estrade devant les grandes stations en faisant rabâcher leurs messages par un énergumène debout sur le toit. Certains sont en tenue paramilitaire, d'autres ont des allures d'idéologues; des vieillards joignent leur hallucination à cet exhibitionnisme pénible; chacun à son tour, les orateurs saluent après avoir braillé, et crient *banzaï* avant de rejoindre derrière ses barreaux leurs commandos de brutes somnolentes qui va pousser son cirque plus loin. Dans ces quartiers envahis de bruits, mégaphones des camionnettes publicitaires ou politiques, enceintes sonores des jardins, musique des pas de porte, porte-voix des groupes, magnétophones des machines, des feux ou des magasins qui se mélangent au trafic urbain, ces tirades lancées dans l'indifférence générale, au point qu'elles se fondent dans la rumeur et qu'elles ne sont plus perçues par les passants que comme un élément sonore parmi d'autres dans un espace saturé de décibels, sont pour moi une agression insupportable, la note qui met les nerfs à vif, parce que sans la comprendre, on ne sait que trop ce qu'elle signifie.

Aï (l'amour),
© Éditions Le Serpent à plumes, 1994

On les appelle *uyoku* (l'aile droite) : ils prétendent défendre les valeurs du « vrai Japon », et condamnent notamment tous ceux qui se permettent de critiquer la famille impériale ou de revenir sur des aspects peu glorieux de l'histoire japonaise. La présence dans la ville de cette mouvance ultranationaliste et xénophobe est favorisée par la complaisance des autorités, la complicité de certains politiciens et l'indifférence (ou l'apathie) d'une partie de la population.

Non contents de polluer le paysage par leurs invectives, ils se livrent aussi à des tentatives musclées d'intimidation, et même à des assassinats : cocktails Molotov contre la maison du PDG de Fuji-Xerox, qui avait critiqué les visites du Premier ministre au sanctuaire nationaliste de Yasukuni, attaque contre la maison de Kato Shûichi, grande figure intellectuelle condamnant le négationnisme japonais, ou encore le meurtre de Kojiri Tomohiko, journaliste qui avait écrit sur la responsabilité de l'Empereur pendant la Deuxième Guerre mondiale, crime revendiqué par le groupe d'extrême droite Sekihotai mais qui est resté impuni.

DAVID-ANTOINE MALINAS

« Not in my backyard... » :
sans-abri et hommes-boîtes

David-Antoine Malinas (né en 1977) a fait une thèse sur les mouvements des « sans » au Japon. Parmi eux, les sans-abri, connus à Tokyo sous le nom de « hômuresu » (homeless), et qui font aujourd'hui partie intégrante du paysage de la ville.

Il est possible de relever trois caractéristiques du phénomène sans-abri nippon. Tout d'abord, la population sans-abri est essentiellement composée d'hommes âgés. L'enquête nationale de 2002 met ainsi en évidence que les hommes représentent près de 97 % des effectifs[1]. De même, alors qu'au sein de la population japonaise les personnes de plus de 50 ans ne comptent que pour un tiers, elles représentent près des deux tiers au sein de la population sans-abri. La moyenne d'âge est donc particulièrement élevée et s'établit à près de 60 ans. Cette caractéristique est particulière au Japon alors qu'en Europe, et notamment en France, les personnes âgées sont sous-représentées[2].

1. Kôseirôdôsho, *Hômuresu no jittai...*, *op. cit.* Pourcentage à partir des réponses pertinentes.
2. Cécile Brousse, Bernadette de la Rochère, Emmanuel Massé, "Hébergement et distribution de repas chauds, les cas des sans-domicile", *INSEE Première*, n° 824, janvier 2002.

Une deuxième caractéristique de la population sans-abri est de s'être rapidement sédentarisée dans l'espace public, notamment du fait de la longue absence de la politique de réinsertion. Des regroupements de plusieurs dizaines à plusieurs centaines de *buru-tento* (de l'anglais *blue tent*), ces abris recouverts d'une bâche en plastique bleue, sont ainsi apparus dans les parcs publics, sur les berges des rivières ou entre les piliers des autoroutes surélevées. En 2002, l'enquête nationale indiquait que près de 85 % des sans-abri étaient sédentarisés. L'un des principaux objectifs des autorités est de trouver une solution à ce problème par un mélange controversé de politiques sociales, de contrôle plus sévère des espaces publics et d'évictions forcées.

[...]

Les résultats d'un sondage d'opinion réalisé en 1999 sont assez représentatifs des différentes opinions négatives qui s'accumulent sur la population sans-abri[1]. Ainsi, pour 67,5 % des personnes interrogées, les sans-abri « sentent mauvais (*kusai*[2]) ». Ils semblent être assimilés à une « pollution environnementale » dont l'existence est combattue soit officiellement par des lettres de plainte[3], des mouvements NIMBY (*not in*

---

1. Yôji Morita, *Rakusô (La classe déchue)*, Osaka, Nikei Osaka PR Kikaku shuppanbu, 2001, p. 17.
2. Il s'agit de la plus forte réponse après « en mauvaise santé » qui reçoit 67,6 % des réponses.
3. En 2001, la mairie de Tokyo rend publiques dans son rapport les plaintes qu'elle a reçues concernant les sans-abri. Dans la catégorie des « plaintes environnementales », la plainte suivante : « Il faut expulser les personnes qui sont dans les parcs car ils font du bruit et y campent (sans autorisation). » Source : Tôkyôto Fukushikyoku, *Tôkyô no hômeresu (Les sans-abri de Tokyo)*, 2001, p. 5.

my backyard) ou plus directement par des agressions orales ou physiques souvent perpétrées par de jeunes adolescents[1]. Pour 51 % des interrogés, les sans-abri sont des « paresseux ». La condition de sans-abri est en effet souvent assimilée à une déviance morale, un refus d'assumer sa place et ses responsabilités au sein de la société. Enfin, la population sans-abri apparaît comme une population anxiogène et 33,6 % des personnes interrogées considèrent qu'ils font « peur ».

Malgré cette image particulièrement négative et dont il faudrait interroger les conditions de construction et de maintien, les sans-abri reçoivent également de nombreux soutiens. Ainsi, de nombreuses associations ont vu le jour au cours des années 1990. Pour Tokyo des associations comme *Shinjûku renraku kai, Furusato no kai, Nojiren* ou *Sôgidan* assurent patrouilles de secours, distribution de repas, consultation médicale ou soutien juridique. Ces activités ne seraient guère possibles sans un dense maillage de nombreux et divers volontaires : étudiants, médecins ou avocats. Il existe également une aide « amateur » individualisée. En effet, les sans-abri demandent et trouvent de l'aide pour se nourrir ou dormir auprès des personnes qui partagent leur espace de survie : commerçants, gardiens ou simples passants. Il existe ainsi des milliers de négociations et de coopérations silencieuses découvertes à la faveur du travail de terrain ou à la

---

1. Cf. Toshigo Kitamura, « *Hômuresu* » *shôgeki jiken (Le choc des attaques contre les sans-abri)*, Tokyo, Tarojirosha, 1997 et Shunichi Furuta, *Hômuresu bôkôshi jiken (Les attaques contre les sans-abri)*, Tokyo, Shinpusha, 2004.

lecture d'enquêtes ethnographiques riches d'un nouvel enseignement[1].

« Exclus et précaires dans le Japon contemporain »,
in *Cités*, n° 27, « Le Japon aujourd'hui », p. 43-45
© PUF, 2006

Longtemps les *buru-tento* se trouvaient un peu partout, notamment dans les parcs et sous les piles de pont, au bord de la rivière Sumida par exemple. La nouvelle politique de « normalisation » les repousse le plus loin possible : les abris en carton les remplacent. C'est le Japon fragile, celui des précaires et des réfractaires, tapi dans les plis d'une des villes les plus riches du monde. L'ironie est que nombre d'entre eux font partie des générations qui ont modernisé Tokyo au début des années 1960 (en prévision des Jeux olympiques de 1964), et lors de la forte croissance économique des années 1980. Le grand écrivain japonais Abe Kôbô (1924-1993) avait été l'un des premiers à attirer l'attention sur ceux qu'il appelle les « hommes-boîtes », dès 1973, dans un roman précurseur et toujours d'une cruelle actualité : « Il n'y a pas encore de statistiques là-dessus, mais on trouve des traces évidentes qui prouvent l'existence cachée de nombreux hommes-boîtes à travers le pays. Et pourtant, je n'ai nulle part entendu aborder le problème de l'existence de ces personnages. Il est évident que le monde veut rester bouche cousue à leur sujet[2]. »

1. Cf. Masami Iwata, *Hômuresu, Gendaishakai, Fukushi kokka (Sansabri, société contemporaine et État-providence)*, Tokyo, Akashi shôten, 2000.
2. *L'Homme-boîte* (1973), trad. du japonais par Suzanne Rosset, Stock, 1979, p. 14.

IWAO SUMIKO

Une capitale contestée

Régulièrement, des voix se font entendre pour transférer la capitale du Japon sur un autre site que celui de Tokyo. La ville serait trop grande, trop peuplée, trop polluée... Iwao Sumiko, docteur en psychologie de l'Université de Yale, rappelle les grands problèmes qui se posent depuis de nombreuses années aux habitants de Tokyo.

Aujourd'hui les Tokyoïtes souffrent de deux grands problèmes : les navettes interminables entre leurs minuscules logis et leurs lieux de travail et l'amoncellement des ordures [...] dans la capitale japonaise qui, avec 12 millions d'habitants, est l'une des plus grandes métropoles du monde.

Quand des étrangers leur parlent de la richesse de l'Archipel et de sa société d'abondance, bien des Japonais ne savent comment réagir. Il leur semble en effet que les citoyens d'une superpuissance économique devraient pouvoir vivre dans un certain confort. Or, ils ont de bonnes raisons de ne pas se sentir privilégiés. Les Tokyoïtes en particulier n'apprécient guère de devoir habiter des cages à lapins très éloignées de leurs lieux de travail. Certes, depuis que les bulles spéculatives de la fin des années 80 ont éclaté, les prix de l'immobilier sont nettement retombés et les possibilités d'accession à la propriété se sont améliorées. Mais il n'en reste pas

moins que les familles doivent s'exiler à une quarantaine de kilomètres du centre-ville pour trouver un logis
qui coûte moins de cinq fois le revenu annuel moyen.
On estime qu'il faut à l'employé ordinaire environ une
heure et quart pour se rendre à son travail, et cela dans
des trains, des métros et des autobus bondés. On com-
prend qu'il soit pénible de passer près de trois heures
par jour en transports. L'étonnant, en fait, est que tant
de gens s'y résignent.

Personnellement, le trajet jusqu'à mon université me
prend une heure de train et d'autobus. À l'aller il n'y
a jamais de place assise, et parfois l'affluence est telle
qu'on ne peut même pas se retourner. Mais aussi épui-
santes que soient les heures de pointe dans les transports
publics, on est sûr au moins d'arriver à l'heure, ce qui
n'est pas le cas en voiture.

Il y a des années que l'on insiste sur l'urgence de ces
problèmes, et nombre de remèdes ont été proposés. On
a parlé de déplacer certaines institutions publiques, la
Diète, voire toutes les agences administratives de la
capitale. Mais vu l'ampleur de la tâche et l'énormité du
coût, rien ou presque n'a été fait, et l'engorgement de la
région de Tokyo a continué d'empirer.

« Les problèmes de l'environnement à Tokyo »,
in *Cahiers du Japon*, n° 60, été 1994, p. 73
Reproduced extracts by permission of the publisher

Transférer la capitale ? Doter le Japon d'un second pôle
(Ôsaka par exemple) ? Multiplier les centres à travers le
pays ? De la décentralisation par étapes au déplacement
pur et simple, plusieurs solutions sont envisagées par ceux
qui redoutent que, « à l'instar d'une étoile géante, la ville

n'implose sous son propre poids pour se transformer en trou noir » (Katayama Yoshihiro, haut fonctionnaire, dans le mensuel *Chûô Koron*, en 2002). Le journaliste Takeda Tôru a même proposé la possibilité d'une « capitale ambulante », les grandes villes de l'Archipel occupant tour à tour cette fonction. En attendant, insensible aux reproches et aux tractations, Tokyo poursuit sa croissance chaotique… Sa candidature a d'ores et déjà été préférée à celle de Fukuoka pour l'organisation des JO de 2016.

MURAKAMI RYÛ

L'Apocalypse selon Tokyo

Hashi et Kiku ont été abandonnés dans une consigne de gare lorsqu'ils étaient bébés. À partir de cette histoire inspirée de faits-divers véridiques, Murakami Ryû (né en 1952) décrit un Tokyo apocalyptique empruntant ses traits à la fois au monde réel, aux mangas de science-fiction et aux romans d'anticipation. Paupérisation, déshumanisation, misère sexuelle, aliénation... Dans le Tokyo de Murakami, les hommes ou les animaux qui essaient d'échapper à la lumière restent toujours repérables : la mégalopole est divisée en carrés de béton et de planches, dont pas la moindre parcelle n'échappe à une lumière omniprésente pénétrant l'épaisseur des vitres et le rideau semi-opaque de l'atmosphère. Les gens prennent du Neutro, un sédatif puissant qui permet de maintenir l'ordre... Page après page d'une écriture prolifique et turbulente se révèle une ville à la fois monstrueuse et fascinante, «une ville en forme de diamant entourée de barbelés».

En bas de la rue en pente douce, on apercevait un quartier connu sous le nom d'«îlot de la drogue». C'était une zone contaminée. Cinq ans plus tôt, les oiseaux et les petits animaux s'étaient brusquement mis à mourir dans ce quartier. L'enquête qui s'ensuivit révéla la présence d'un produit fortement concentré en chlore. Le simple contact de ce produit chimique extrêmement toxique avec la peau causait de terribles éruptions et, ingéré, le produit attaquait le foie et le système nerveux. Les femmes enceintes risquaient des fausses couches ou de mettre au monde des anormaux. On ne put cependant déterminer pourquoi ce produit se trouvait mélangé au sol en si haute proportion. Il n'y avait aucune usine chimique dans les environs et l'on conclut qu'il devait s'agir soit d'une fuite d'un camion transportant ce produit, soit d'une décharge illégale, soit d'une transformation chimique spécifique du sol due à la température élevée ou à une réaction lors de travaux de construction. Le poison n'était pas soluble dans l'eau, résistait aux plus hautes températures et même des micro-organismes n'en venaient pas à bout, si bien que finalement le ministère de la Santé publique fit évacuer le quartier, dédommagea largement les habitants, et la zone contaminée fut entièrement condamnée. Une dalle de béton fut coulée sur le sol, tout le périmètre entouré de fils barbelés et gardé par des soldats des forces terrestres d'autodéfense. La zone fut surnommée « îlot de la drogue » pour deux raisons : à cause du produit chimique qui l'avait contaminée, et également parce que ce quartier condamné devint rapidement un haut lieu du crime, notamment des crimes liés à la toxicomanie. Les gardes patrouillaient en permanence, armés de lance-flammes, revêtus de combinaisons en amiante, empêchant quiconque d'entrer. Il était également strictement interdit d'amener ou de sortir un objet quelconque de la zone. Les habitations et leur mobilier contaminés par le produit avaient été abandonnés en l'état, et les candidats au pillage étaient prévenus par des pancartes que les gardes étaient autorisés à passer au lance-flammes tout objet quittant la zone, mais également toute personne le transportant. Cependant les criminels furent les premiers à tirer parti du fait que l'intérieur de la zone échappait à tout contrôle de la police. Ensuite ce furent des clochards qui accoururent de tous les quartiers de la capitale. Des attardés mentaux furent également abandonnés à l'intérieur de l'enceinte. Sans compter les prostituées de bas étage, prostitués homosexuels, criminels recherchés par la police, pervers, handicapés, fugueurs, qui avaient afflué, recréant une étrange société à l'intérieur de ce ghetto. Le regroupement de tous ces hors-la-loi dans la zone eut ironiquement pour effet une baisse du taux de criminalité sur l'ensemble de la capitale. Après la création du ghetto entouré de barbelés, qui circonscrivait les criminels dans un périmètre donné, les crimes, sexuels notamment, diminuèrent de façon tangible. Treize gratte-ciel s'élevaient à proximité immédiate de l'îlot de la drogue. Et ces treize tours énormes, fierté du Tokyo moderne, semblaient avoir leurs fondations dans ces bas-fonds sinistrement calmes entourés de barbelés situés juste à leur pied.

[...]

Le soleil filtrant entre les rideaux fit rapidement monter la température de la chambre, une véritable boîte de verre et de béton. Le vrombissement des machines électriques sur le chantier de démolition d'en face résonnait déjà à travers les fenêtres, faisant trembler les vitres. Une masse de métal suspendue à une grue tournoya dans les airs, vint s'écraser dans le mur de l'immeuble, y creusant une excavation. Le choc réveilla Kiku en sursaut.

Il était en plein cauchemar et ne se rappela pas tout de suite où il était. Il fit le tour de la pièce des yeux. À côté de lui il y avait un paquet blanc. Le sang suintant du cadavre avait dessiné des taches noirâtres sur le drap. Kiku regarda fixement le drap collé au visage, au cou, à la poitrine de Kazuyo. On aurait dit un buste humain passé à la peinture rouge. Kiku se mit à trembler de peur. La sueur jaillit de tous les pores de sa peau. Sa main gauche était imprégnée du parfum du maquillage de Kazuyo. Son odeur était encore vivante, alors qu'elle n'était plus qu'une momie rigide enveloppée dans ce drap taché de rouge. Une terreur tapie tout au fond de lui commença à émerger lentement. Les coups de masse résonnaient sans interruption sur l'immeuble d'en face. À chaque nouvelle suée qui inondait son corps, sa peur se muait en rage. Il ne pouvait plus supporter cette chaleur épouvantable. Il se rendit compte qu'il était enfermé, prisonnier de cette pièce de verre et de béton. Mais depuis quand ? Depuis quand suis-je enfermé là-dedans ? Depuis ma naissance, depuis ma naissance, je vis dans l'air mou et étouffant de cette boîte. Et jusqu'à quand ? Jusqu'à ce que je devienne à mon tour une momie rigide dans des draps rougis de sang. La masse de fer continuait à démolir les murs dans un effroyable vacarme, la chaleur écrasait la ville, la déformait, les groupes d'immeubles haletaient, il lui semblait que cette ville blanche fondant dans la fournaise l'appelait, la ville abandonnée, les anciennes mines de l'île revinrent flotter dans sa mémoire, se superposant au Tokyo écrasé par la chaleur matinale de l'autre côté des fenêtres, c'était Tokyo qui l'appelait, il entendait distinctement la voix de la ville monstrueuse : Détruis, détruis ! Détruis tout ! Il regarda par la fenêtre. En contrebas, des gens et des voitures gros comme des fourmis s'agitaient, il se sentait dans le même état d'esprit qu'au moment de prendre son élan pour sauter à la perche, il eut une vision de lui-même en train de détruire Tokyo, Tokyo engloutie par les flammes au milieu des hurlements de la foule, et lui qui tuait tout le monde, écrabouillait les immeubles... Puis la ville recouverte de cendres magnifiques, des enfants ensanglantés déambulant dans les rues, au milieu des chiens sauvages, des vautours et de la vermine. Ces images le libérèrent, le délivrèrent de la vision de lui-même enfermé au cœur de l'été dans une horrible boîte sombre et étroite. Comme un serpent qui mue, sa vieille peau partait en lambeaux, la carapace se brisant, des souvenirs profondément enfouis resurgissaient. Les souvenirs d'un été, dix-sept ans plus tôt. La force qui avait soutenu ce bébé hurlant de toutes ses forces, luttant contre l'atroce chaleur étouffante du casier de consigne, cette force commençait à resurgir du tréfonds de lui-même. Il se rappelait la voix qui l'avait encouragé à survivre, et cette voix disait : Tue, tue, détruis-les tous ! Cette voix résonnait à nouveau, en arrière-plan du brouhaha de la ville en contrebas avec ses minuscules silhouettes, ses voitures comme des jouets miniatures. Tue, tue, détruis, détruis-les tous ! Tu ne veux pas devenir une momie sous un drap rougi de sang ? Alors détruis, encore et encore, réduis cette ville en cendres !

Les Bébés de la consigne automatique,
traduit du japonais par Corinne Atlan
© Éditions Philippe Picquier, 1996

LA VILLE-POÈME

TANIZAKI JUNICHIRÔ

Exercices de disparition

Enfant de Tokyo, où il naît en 1886 et où il mourra en 1965, Tanizaki est l'auteur d'une œuvre de premier plan : jusqu'en 1923, date du grand séisme, où il la quittera pour le Kansai, Tokyo y tiendra une place importante. Dans le passage suivant, il nous donne une belle leçon de déambulation. La ville-labyrinthe cède le pas à la ville-poème, quand « cet énigmatique paysage d'immenses terrains déployés à l'infini » se transforme en un subtil jeu de cache-cache. Pour échapper à la ville, la ville est elle-même le meilleur remède…

Tout de suite, je m'étais fait cette réflexion que, plutôt que de me réfugier dans quelque faubourg comme Shibuya ou Ôkubo, c'était en pleine ville qu'on pouvait trouver certains coins surprenants, morts désormais et n'attirant l'attention de personne. « Il ne peut pas ne pas y avoir, me disais-je, coincée au milieu de la cohue des rues populaires, quelque oasis de paix où ne passent qu'exceptionnellement des gens bien déterminés dans des circonstances bien déterminées ; exactement comme dans un torrent impétueux se forment ici et là des trous d'eau dormante. »

À quoi s'ajoutait cette autre réflexion : ma passion des voyages m'avait promené du Hokkaidô à Kyûshû ; à Sendai et Kyôto, cela va sans dire ; mais j'étais sûr que Tokyo même, où j'étais né, dans Nyngyô-chô, et où je résidais depuis vingt ans, recelait au moins une rue où je n'avais jamais mis les pieds – que dis-je, une ? bien davantage assurément. Et au sein même de la grande cité, dans l'inextricable lacis de rues, de ruelles sans nombre de la ville basse pareille à une ruche, combien y en avait-il que je connaissais ? que j'ignorais ? J'aurais été bien en peine de dire lesquelles étaient les plus nombreuses.

[...]

Convaincu que, pour disparaître, là se trouvait la clé, je m'étais donc mis à chercher partout avec opiniâtreté, et plus ma quête avançait, plus nombreux étaient, ici, là, ailleurs, les endroits par où je n'étais jamais passé. Combien de fois avais-je déjà traversé le pont d'Asakusa et celui d'Izumo ! mais jamais le pont Saemon, qui se trouve entre les deux ! Quand j'allais, rue Nichô, au théâtre Ichimura, au sortir de l'artère où passaient les trams, je tournais toujours à droite au coin du marchand de nouilles de sarrasin ; mais je n'avais nul souvenir d'avoir jamais mis les pieds dans la rue qui, passant devant cette salle, menait directement, en moins de trois cents mètres, au théâtre Ryûsei. Je n'aurais pas davantage su dire avec précision comment se présentait la rive gauche[1], vue de l'extrémité du vieux pont Eitai[2],

---

1. Il s'agit de la rive de la Sumida. La Sumida (-gawa) : fleuve de quelque cent soixante-dix kilomètres qui traverse la ville de Tokyo du nord au sud ; il prend sa source à Kobushigatake dans la préfecture de Saitama, et s'appelle d'abord Ara-kawa (« la rivière violente »), le nom de Sumida (-gawa) étant réservé au bras occidental de son cours inférieur, celui qui traverse la capitale. Les citadins utilisent d'ailleurs plusieurs appellations pour leurs fleuves, selon les quartiers : en amont, du côté du bac d'Imado, c'est la Tada-gawa, puis à la hauteur d'Asakusa, l'Asakusa-gawa, et enfin, jusqu'à ce qu'il se jette dans la baie de Tokyo, l'Ô-kawa.
2. Ce pont se trouve à l'embouchure de la Sumida.

côté rive droite. Manifestement il restait quantité d'endroits, dans les parages de Hatchôbori, d'Echizenbori, de Shamisenbori, de Sanyabori, que j'ignorais encore. Parmi eux, les alentours du temple de l'avenue Matsuba étaient les plus singuliers. Ce qui, par-dessus tout, m'avait définitivement séduit, c'était qu'à deux pas de Rokku[1] et de Yoshiwara, il suffisait de tourner dans une ruelle transversale pour avoir la surprise de déboucher dans une zone à l'abandon et complètement déserte.

[...]

Disparaître inopinément d'une société joyeuse et turbulente, tenter facétieusement de conférer un caractère clandestin à tous mes faits et gestes, me paraissait, de soi seul, suffisant pour donner à mon existence une coloration mystérieuse et romanesque. Depuis mon enfance, j'avais gardé un goût fort vif pour ce qu'il y avait de fascinant dans tout secret. Le plaisir que je prenais à des jeux comme colin-maillard, cache-cache, cache-tampon – surtout quand on s'y livrait à l'obscurité du soir, devant le portail à double battant ou la petite resserre plongée dans la pénombre – venait surtout, assurément, de ce que s'y embusque l'étrange goût du « mystère ».

C'est pour revivre encore une fois cette émotion du jeu de cache-cache d'autrefois que j'étais volontairement venu me tapir dans ce coin équivoque, ignoré de tous, de la ville basse.

Le Secret,
traduit du japonais par Marc Mécréant,
© Éditions Gallimard, 1997

1. C'est la sixième section du parc d'Asakusa, où se trouvent de nombreux cinémas, théâtres, etc.

NICOLAS BOUVIER

Des villages oubliés dans la ville

Une des particularités de Tokyo est la persistance d'une vie de quartier au milieu de la mégalopole, dans une coexistence d'éléments disparates qui lui donne un charme fou. La ville regorge d'endroits oubliés, de «zones de silence au milieu du son», d'impasses fleuries qui donnent l'impression d'être arrivé tout au bout du Temps. Ainsi, le quartier d'Araki-chô, où les esprits et les époques se télescopent, immortalisé par Nicolas Bouvier.

Chô est un petit quartier; *ki* le bois ou l'arbre; et l'arbre *ara* est une sorte de mûrier; mais il n'y a plus de mûrier à Araki-chô.

Tournesols, bambous, glycines. Maisons penchées et vermoulues. Odeurs de sciure, de thé vert, de morue. À l'aube un peu partout le chant un peu ébouriffé des coqs. Une publicité omniprésente et hideuse mariée à la plus belle écriture du monde.

Araki-chô, c'est en somme un morceau de village oublié dans la ville, dont quatre maisons de geishas de première catégorie avaient autrefois fait la renommée. Elles ont brûlé comme presque tout le reste, ne laissant qu'une petite «école» où une poignée de jeunes femmes souffreteuses et tarabiscotées viennent, genoux fléchis sur leurs hautes socques de bois, apprendre à jouer du *shamisen*, à décomposer leurs pas en vingt-six mouvements distincts, à manier les poètes classiques ou l'allusion libertine. Mais l'annuaire des geishas de la ville les relègue aujourd'hui en cinquième rang – au bord de la galanterie – et le quartier est depuis longtemps sorti des mémoires. Pas un plan ne les mentionne et les chauffeurs de taxi qui longent ses frontières ignorent souvent son nom.

On distingue à Tokyo deux mentalités bien distinctes. Dans le Sud et dans l'Est c'est l'esprit *shitamachi* (la basse ville), celui des pénichiers, des poissonniers et maraîchers des halles, des artisans dont les outils n'ont pas changé depuis cent ans. De la gouaille et du cœur. C'est Shitamachi qui va applaudir des lutteurs à chignon du *sumo* (la lutte japonaise) et fournit ces contingents de commères qui reniflent et sanglotent aux drames du théâtre *kabuki*. En somme le vieux folklore d'Edo. Dans les secteurs plus cossus de l'Ouest et du Nord, c'est l'esprit *yamanote* (côté des collines), plus bourgeois, studieux, confit. On s'intéresse aux arts traditionnels : la calligraphie, le théâtre no. On a volontiers une pièce à l'occidentale où l'on s'installe sous une suspension de laiton pour lire des livres d'Europe. Plutôt l'ambiance de l'ère Meiji.

Araki-chô est *yamanote* par la géographie et *shitamachi* par l'esprit, avec une pointe de rusticité en plus.

Chronique japonaise
© 1989, Éditions Payot
© 2001, Éditions Payot & Rivages

SHÔZÔ BABA

Une architecture précaire et imprévisible : pour un urbanisme-renga

Shôzô Baba (né en 1935), directeur de la revue Shin-ken-chiku *(Nouvelle architecture), est consultant et organisateur de concours internationaux d'architecture. Il s'interroge sur le futur de Tokyo, en suggérant une proposition originale pour résoudre les problèmes d'« un paysage urbain problématique »…*

Dans une situation aussi éclatée, quel peut donc être le devenir de ce collectif architectural qu'est nécessairement la ville ? C'est ce que nous avons essayé de montrer à travers une exposition que j'ai organisée en février et mars 1993 au musée Séson de Tokyo et qui réunissait, autour de Kishô Kurokawa, de jeunes architectes de la même génération, tous quadragénaires comme Tadashi Ôe, Kengo Kuma, Kazuyo Sejima, Kiyoshi Takeyama, Norihiko Dan, Hiroshi Naitô et Hiroyuki Wakabayashi. Cette exposition, intitulée « La ville labyrinthe », fut l'occasion pour des hommes de différentes obédiences de s'interroger ensemble sur ce que devait apporter la ville de demain, et d'essayer de trouver chacun une réponse propre aux exigences futures.

Ma contribution personnelle fut de proposer un ordre urbanistique inspiré des *renga* (« poèmes-chaînons »). Le *renga* est un genre très particulier de poésie apparu au

Japon dès le Moyen Âge. Le vers de la poésie traditionnelle japonaise (*waka*) qui avait cours jusqu'alors était composé de 5, 7, 5, 7, 7 syllabes. Une césure pouvait le scinder en deux hémistiches : 5, 7, 5 et 7, 7 ; et qui sont composés collectivement par plusieurs personnes (ou plusieurs dizaines de personnes) d'un niveau égal en composition poétique. Une des règles du *renga* était de reprendre le sens de l'hémistiche précédent pour le transposer dans un autre paysage poétique et le renouveler. Cette opération se répétait autant qu'il y avait de participants. D'autres règles qui ne peuvent être abordées ici gouvernaient le *renga*, mais ce qu'il est important de souligner c'est que personne ne pouvait augurer par avance de la forme finale du long poème ainsi constitué. Poésie de circonstance par excellence, précaire et imprévisible, mais qui, d'un point de vue social, joua un grand rôle. En effet, que ce soit à l'époque de Muromachi, de Momoyama ou d'Edo, seule comptait pour être appelé à prendre place dans le cercle des poètes la capacité à composer. Toute différence sociale s'annihilait : samouraïs, marchands et paysans se côtoyaient en toute égalité.

Ce que j'entends donc par urbanisme inspiré du *renga*, c'est un système urbain où les premiers bâtiments construits seraient, certes, très différents des plus récents, mais dans une globalité sous-tendue par un dénominateur commun. Remarquons qu'autrefois l'architecture urbaine devait obéir aux règles d'une harmonie de proximité. L'arrivée du modernisme, puis du postmodernisme entraîna un non-respect total de cette règle. Le paysage urbain devint ainsi problématique. Loin de moi cependant l'idée de bâtir une ville contemporaine sur le seul modèle des villes anciennes avec leur idéal d'une harmonie parfaite. Mon avis est que la ville actuelle doit se construire au gré d'une dynamique de proximité se renouvelant sans cesse à l'infini.

L'Esthétique contemporaine du Japon,
ouvrage collectif coordonné par Akira Tamba,
© CNRS Éditions, 1998

Tokyo est une des villes les plus excitantes pour qui s'intéresse à l'architecture : comme l'écrit Natacha Aveline, «le rapide renouvellement du bâti et les normes de construction peu contraignantes ont ouvert un formidable champ d'expérimentation pour les architectes japonais, leur offrant une grande liberté dans la conception des formes et le traitement des détails[1] ». Quelques exemples :

Gymnase national, de Tange Kenzô, 1964, à Yoyogi. Son originalité tient à sa toiture suspendue par un câble d'acier, qui lui donne l'allure d'un temple shintô classique.

Nakagin Tower, de Kurokawa Kishô, 1972, à Ginza. Tour composée de piliers auxquels sont attachés 140 moules orientables qui permettent de créer des structures mobiles. La première architecture-capsule.

Mairie de Tokyo, de Tange Kenzô, 1991, à Shinjuku. La finesse des carreaux, l'enchaînement de verticales en gradins décalés, l'asymétrie des bâtiments évoquent la renaissance du gothique dans le modernisme.

M2 Building, de Kuma Kengo, 1992, à Setagaya. La juxtaposition de trois éléments de styles différents atteste la volonté caractéristique du postmodernisme de refuser toute historicité.

1. «Regards croisés sur les formes de la ville japonaise », *Daruma*, numéro 3, *op. cit.*, Picquier.

Humex Pavillion, de Wakabayashi Hiroyuki, 1992, à Shibuya. Une capsule verticale donne l'impression d'une fusée qui va être lancée dans l'espace. Une des réussites du postmodernisme.

Tokyo International Forum, de Rafael Vinoly, 1996, entre les gares de Tokyo et Yurakuchô. Dentelle de verre et de métal, éclats colorés du bois font de ce complexe urbain un grand paquebot de lumière.

Marcher, voir, écrire

*En trois séjours, Roland Barthes (1915-1980) a passé envi-
ron trois mois au Japon : c'est peu, et pourtant son livre
est rempli d'intuitions profondes et de suggestions pétillan-
tes. Car Barthes a un œil et un style : en quelques pages,
il invente « l'écriture-séquence, le montage flexible, le bloc
de prose à l'état fluide, la classification musicale, l'utopie
vibrante du détail, le satori syntaxique » (Philippe Sollers).
Euphorique, ironique, attendri, L'Empire des signes regroupe
les fragments d'un véritable discours amoureux sur le Japon.
Il nous révèle le « système » élaboré par Barthes pour cares-
ser la ville et, sinon la comprendre, du moins la goûter en
toute liberté : marcher, voir, écrire, à petits traits.*

Les rues de cette ville n'ont pas de nom. Il y a bien une
adresse écrite, mais elle n'a qu'une valeur postale, elle
se réfère à un cadastre (par quartiers et par blocs, nul-
lement géométriques), dont la connaissance est accessible au facteur, non au visiteur : la plus grande ville
du monde est pratiquement inclassée, les espaces qui la
composent en détail sont innommés. Cette oblitération
domiciliaire paraît incommode à ceux (comme nous)
qui ont été habitués à décréter que le plus pratique est
toujours le plus rationnel (principe en vertu duquel la
meilleure toponymie urbaine serait celle des rues-numé-
ros, comme aux États-Unis ou à Kyoto, ville chinoise).

Tokyo nous redit cependant que le rationnel n'est qu'un système parmi d'autres. Pour qu'il y ait maîtrise du réel (en l'occurrence celui des adresses), il suffit qu'il y ait système, ce système fût-il apparemment illogique, inutilement compliqué, curieusement disparate : un bon bricolage peut non seulement tenir très longtemps, on le sait, mais encore il peut satisfaire des millions d'habitants, dressés d'autre part à toutes les perfections de la civilisation technicienne.

L'anonymat est suppléé par un certain nombre d'expédients (c'est du moins ainsi qu'ils nous apparaissent), dont la combinaison forme système. On peut figurer l'adresse par un schéma d'orientation (dessiné ou imprimé), sorte de relevé géographique qui situe le domicile à partir d'un repère connu, une gare par exemple (les habitants excellent à ces dessins impromptus, où l'on voit s'ébaucher, à même un bout de papier, une rue, un immeuble, un canal, une voie ferrée, une enseigne, et qui font de l'échange des adresses une communication délicate, où reprend place une vie du corps, un art du geste graphique : il est toujours savoureux de voir quelqu'un écrire, à plus forte raison dessiner : de toutes les fois où l'on m'a de la sorte communiqué une adresse, je retiens le geste de mon interlocuteur retournant son crayon pour frotter doucement, de la gomme placée à son extrémité, la courbe excessive d'une avenue, la jointure d'un viaduc ; bien que la gomme soit un objet contraire à la tradition graphique du Japon, il venait encore de ce geste quelque chose de paisible, de caressant et de sûr, comme si, même dans cet acte futile, le corps *« travaillait avec plus de réserve que l'esprit »*, conformément au précepte de l'acteur Zeami ; la fabrication de l'adresse l'emportait de beaucoup sur l'adresse elle-même, et, fasciné, j'aurais souhaité que l'on mît des heures à me donner cette adresse).

[...]

Cette ville ne peut être connue que par une activité de type ethnographique : il faut s'y orienter, non par le livre, l'adresse, mais par la marche, la vue, l'habitude, l'expérience ; toute découverte y est intense et fragile, elle ne pourra être retrouvée que par le souvenir de la trace qu'elle a laissée en nous : visiter un lieu pour la première fois, c'est de la sorte commencer à l'écrire : l'adresse n'étant pas écrite, il faut bien qu'elle fonde elle-même sa propre écriture.

L'Empire des signes,
© Éditions Skira, 1970

PHILIPPE FOREST

Rire, boire et danser

Philippe Forest est né en 1962. Son œuvre est en prise directe avec le Japon, que ce soit dans ses écrits critiques sur la littérature japonaise ou dans ses romans où il l'évoque souvent. Dans le passage suivant, il dit l'essentiel de ce qui le relie à l'Archipel : rire, boire, danser, s'allonger sous les cerisiers et, peut-être plus que tout, « le bonheur vrai de se retrouver libre à marcher la nuit » dans une rue de Tokyo.

Il y a cette remarque d'Hemingway dans *L'Adieu aux armes*, qui dit qu'on se fait toutes sortes d'idées fausses sur les Japonais, qu'en vérité ils ressemblent beaucoup aux Français, que ce sont des petits hommes qui aiment avant tout rire, boire et danser. N'importe quelle nuit passée à Tokyo vient vérifier ce semblant de paradoxe : l'extraordinaire agitation des lieux de plaisir, l'excitation jusqu'à l'abattement, lorsque la rue enfin se vide et que tout s'achève dans l'ivresse la plus lourde, la plus complète. Prenez n'importe quelle idée toute faite sur le Japon et retournez-la. Vous obtenez une autre idée toute faite qui n'est ni plus vraie ni plus fausse que la précédente. Tous les lieux communs ont un envers et un endroit qui se valent. Personne ne parle jamais du manque de sérieux des Japonais, de leur légèreté, de leur sentimentalité, de leur insouciance, de leur nonchalance, en un mot : de leur gentillesse et de la douceur de vivre qui règne dans une cité comme Tokyo.

Je ne connais personne en France pour qui Tokyo ne soit synonyme d'enfer. Les gens vous diront : la pollution, les masques posés sur le nez et la bouche, les embouteillages, les trains et les métros bondés, les employés chargés de pousser les voyageurs dans les wagons pour permettre la fermeture automatique des portes. Et encore : la pègre contrôlant la ville, le crime et la prostitution, la foule lobotomisée, la fourmilière des grandes compagnies, la servitude volontaire du travail salarié, l'esclavage consumériste, la misère grossissant dans les coulisses de la société-spectacle. Tout cela existe sans doute mais je ne connais aucun voyageur de bonne foi qui l'ait vu. En revanche, essayez de dire : le luxe d'une société policée, l'éducation généralisée, la curiosité à l'égard du monde. Ou encore : le bonheur vrai de se retrouver libre à marcher la nuit dans les quartiers de Shinjuku et de Shibuya. Il ne se trouvera personne pour vous croire dans la pauvre petite province française.

[...]

Le premier printemps sur Tokyo, il y eut ce signe. Nous devions retrouver une amie dans un salon de thé proche d'un des plus grands parcs de la capitale. Notre amie – puisque c'était la saison – nous avait proposé de sacrifier à une tradition bien japonaise, celle qui, au moment de la floraison des cerisiers, pousse les gens par millions vers les jardins pour y admirer le soudain flamboiement blanc sur les branches qui, l'espace de quelques jours, jusqu'à ce que les pétales tombent à terre, colore tout le paysage des villes de cette couleur blanche qui, au Japon, est aussi celle du deuil. C'est comme un mercredi des cendres un peu plus gai. Poussière, tu retourneras en poussière. Pétale, tu redeviendras pétale. On s'allonge sous les arbres dès le milieu de l'après-midi et l'on médite sur l'impermanence des phénomènes, la brièveté de la vie humaine, la fugacité des choses. La lune se lève et ajoute sa propre pâleur à la douceur du monde. La mélancolie même devient prétexte à faire la fête. On chante ou bien l'on récite des poèmes, on boit de la bière et du saké et, souvent, on finit par s'endormir complètement soûl, dans l'extase de l'ivresse, sur l'herbe.

Sarinagara,
© Éditions Gallimard, 2004

RICHARD BRAUTIGAN

Trois haïkus insolites
pour visiteur déjanté

*Richard Brautigan (1935-1984) est un écrivain américain
qui a eu une carrière littéraire flamboyante avant de se dis-
soudre dans l'alcool et l'insomnie. Il se marie en 1978 avec
une Japonaise, Akiko, mais divorce deux ans plus tard. Son
amour pour le Japon ne s'est jamais démenti : il laisse plusieurs livres d'une écriture légère, précise et inventive, pour
laquelle il revendique le modèle du haïku. « J'aimais cette
façon d'utiliser le langage qui consiste à concentrer l'émotion, le détail et l'image jusqu'à obtenir la forme d'un acier
semblable à la rosée » écrit-il dans son* Journal japonais.

En quittant ma chambre d'hôtel
     ici à Tokyo
voici les quatre trucs que je vérifie à chaque fois :
     que j'ai mon passeport
     mon carnet
     un stylo
     et mon dictionnaire anglais-
     japonais.

Quant au reste de la vie, c'est une complète énigme.

Tokyo
Le 26 mai 1976

*

Debout là-dedans

Mon réveil devait sonner à 9 heures
mais il n'en a pas eu le temps.
Car c'est le tremblement de terre de 7 h 30
      qui s'en est chargé

Des tréfonds de mon rêve
je suis revenu soudain dans mon lit
à cause des secousses de l'hôtel,
à me demander si la chambre 3003
n'allait pas bientôt être transformée
      en carrefour de Shinjuku
       30 étages plus bas.

C'est quand même vachement mieux
qu'un vulgaire réveille-matin.

Tokyo
Le 16 juin 1976

*

Chauffeur de taxi

Je l'aime bien ce chauffeur de taxi
qui fonce dans les rues sombres
      de Tokyo
comme si la vie n'avait aucun sens.
Je me sens pareil.

Tokyo
Le 17 juin 1976, 22 heures

Journal japonais,
traduit de l'américain par Nicolas Richard
© Éditions du Castor Astral, 2003

La ville-poème

À ces trois pépites, on n'oubliera pas d'ajouter le mythique «Hommage au poète de haïku japonais Issa» :

Au Japon saoul dans un
bar
ça
va

FRANÇOIS LAUT

Love-Hotels

Souvent l'objet de tous les fantasmes, les love-hotels sont tout simplement des endroits où on peut faire l'amour tranquillement – ce qui, certes, n'est pas loin d'être un luxe par les temps qui courent. Loin de l'injonction au travail et du culte de la performance qui caractérisent nos sociétés affairées, les quartiers de love-hotels sont dans la ville comme des enclaves colorées, où chacun vient prendre ou chercher ce qui lui plaît. François Laut, qui les a manifestement beaucoup fréquentés, décrit ces « grandes nefs embarquées dans la nuit de Tokyo, au loin, pour un voyage illusoire ».

Nous nous retrouvions dans un quartier de *love-hotels*. J'aimais cet endroit consacré à l'amour physique, mais un amour fantasmé, comme sublimé par ce trompe-l'œil qui lui servait de décor, imaginé par un Éros un peu braque. Les hôtels s'enchevêtraient sur une colline aux ruelles tortueuses, butant sur des culs-de-sac, des arrière-cours où s'imbriquaient les styles, cubes de béton aux façades marbrées, palais ottomans, colonnes classiques, Trianons. La nuit scintillait d'enseignes aux noms extravagants ; il y avait des entrées compliquées qui escamotaient tout à coup les couples ; les murs étaient décorés de fausses fenêtres éclairées à l'oblique, de volets pleins et colorés, un peu comme ces maisons en carton-pâte des calendriers de l'Avent dont les enfants

ouvrent jour après jour les fenêtres, jusqu'à l'émerveille-
ment du vingt-quatre avec le grand salon, l'arbre et les
jouets. On aurait vu alors, derrière, non pas la joie des
familles et l'Enfant Jésus, mais dans ces alcôves la célé-
bration d'un office dont les prêtres étaient les propres
desservants : une suite de scènes d'amour, de passions
coupables ou innocentes, jouées par ces hommes et ces
femmes réunis par le hasard sous le même toit, com-
munauté complice et ignorante de l'autre, retranchée
du monde extérieur pour y célébrer son désir. De tout
le quartier émanait une atmosphère sexuelle, légère et
naturelle, qui tranchait avec ce qui sourd de violence
et de mort des lieux de prostitution. On ne venait pas
y vendre son corps, mais on venait s'acheter une intimité convenue à l'avance, même si, parfois, on payait
pour ne pas jouir. On croisait des couples au sortir de
leurs ébats, remis de frais, lui allumant une cigarette,
elle réprimant un toussotement ; de jeunes amoureux
tantôt rassasiés, tantôt distants. On en voyait d'autres,
au contraire, tout entiers dans leur désir contenu, qui
marchaient en hâte vers la chambre d'amour, d'autres
qui retardaient le moment de leur découverte mutuelle,
ou qui prenaient tranquillement un chemin familier. La
plupart étaient jeunes. Certains flânaient, rieurs, s'exta-
siaient devant les façades. Il y en avait de sérieux, qui
allaient comme on va à la messe, tête basse, la trousse
de toilette remplaçant le missel. Mais la majorité faisait
un tour avant de se décider, évaluant les services offerts
par le marché, comparant les prix affichés sur les murs,
jaugeant des mérites respectifs des architectures à satisfaire leurs fantasmes.

[…] Une fois contourné l'écran mural qui cachait l'entrée des hôtels (comme le font de l'espace intérieur des maisons japonaises ces panneaux de bois à treillis et à pieds placés dans le vestibule), c'était comme si nous rentrions chez nous, soulagés de quitter le tourbillon de la ville pour l'un de ces pied-à-terre choisis au hasard, multipliable à l'envi, où un protocole immuable, un cadre stéréotypé, affublant de banalité toute bizarrerie, tranchaient avec la nécessité singulière de notre duo. On choisissait une chambre en désignant, sur un ensemble de plaques photographiques, l'une de celles dont le voyant rouge était allumé. Aussitôt, d'un guichet à la vitre opaque, une main tendait une clé. À l'étage le numéro clignotait. Quand on redescendait, le prix était déjà affiché sur un écran. On répétait les gestes à l'envers ; parfois un courant d'air refoulait mon billet. Cette machinerie fonctionnait comme un phalanstère où pas une minute n'était perdue, moitié clinique avec ces chariots de draps et de trousses stérilisées circulant dans les couloirs, moitié prison avec ce réseau panoptique de surveillance qui semblait nous enserrer de partout. L'intimité n'était sans doute pas non plus dans la chambre, on s'en moquait. Derrière la porte il y avait deux paires de chaussons et un espace où rien n'avait été prévu pour des bagages, mais où le lit et la baignoire paraissaient surdimensionnés. On avait de quoi s'occuper : télévision, cassettes, *karaoké*, frigidaire, plaque électrique, tous les éléments pour ranimer un babilan. Des images stimulantes, un micro à chansonnette, du whisky pour l'audace, du café pour le revenez-y. La tête du lit était un véritable tableau de bord qu'on manipulait au hasard : jeux de lumière et de miroirs, variations musicales, vibrations, et on s'envolait pour Cythère, en groupe, colonies de clones dont les images dédoublées s'agitaient autour de nous. Tantôt c'était « la grande promenade » ; tantôt on s'arrêtait devant « la petite grille », sans aller visiter « la boutique de détail ». Après « la première visite » suivrait « le redoublement ». La « connaissance mûre » était comme le Grand Soir, toujours différée.

Aï (l'amour),
© Éditions Le Serpent à plumes, 1994

En fait, même s'il peut arriver qu'on les utilise pour la prostitution, la majorité des établissements sont autant des lieux de loisir (avec vidéos familiales, dvd, karaoké...) que des lieux de plaisir. Toutefois, certains présentent des décorations extravagantes (manga, chambre-métro, chambre-bibliothèque...) ou des jouets érotiques (chaise sexuelle, matériel SM...) : le meilleur moyen de se faire une idée est bien sûr de les essayer.

NATSUME SÔSEKI

Goûter à la perfection des choses

« Bura bura suru ». Flâner, marcher sans but : à partir d'une onomatopée, les Japonais ont inventé ce verbe pour désigner la déambulation nonchalante caractéristique de cette ville tout en torticolis. Elle permet d'aviver le « mono no aware », sentiment intraduisible, expérience de la précarité mais aussi de la vivacité de toute chose.

Un après-midi, alors qu'il était en train de flâner comme à son ordinaire, il prit sur sa gauche, en haut de Dangozaka, et déboucha dans la grande avenue de Sendagi-Hayashichô. Depuis quelques jours, il faisait un magnifique temps d'automne qui donnait au ciel cette profondeur qu'il a seulement à la campagne. On se sentait l'esprit plus clair à la seule idée de vivre sous un ciel pareil, et le fait de marcher à travers champs ajoutait à la perfection des choses. Les sens s'épanouissaient, l'âme se déployait aux dimensions de la voûte céleste, les chairs se faisaient plus fermes. La douceur de l'air n'avait rien à voir avec celle, émolliente, qui règne au printemps. Tout en admirant les haies vives qui bordaient les deux côtés du chemin, Sanshirô se mit à humer avec délices les effluves de ce premier automne à Tokyo.

Au bas de Dangozaka, l'exposition des poupées en

fleurs de chrysanthème[1] battait son plein depuis deux ou trois jours. Du sommet de la pente, Sanshirô avait vu flotter les hautes bannières, mais de l'endroit où il se trouvait à présent, il n'entendait plus que le brouhaha des voix et l'écho lointain des instruments de musique. Les notes grimpaient tout au long de la pente, emplissaient le ciel d'un bleu limpide, puis se dispersaient en légères ondes sonores dont les ultimes résonances venaient mourir naturellement à ses tympans. Ce n'étaient plus alors des bruits, mais quelque chose d'infiniment agréable à l'oreille.

Sanshirô,
traduit du japonais
par Estrellita Wasserman
© Éditions Gallimard, 1995

---

1. Cette manifestation, dont l'origine remonte à la fin de l'époque Edo, connut une période de déclin avant de retrouver tout son éclat à partir de 1875.

MAURICE PINGUET

Éloge de la circulation

Directeur de l'Institut franco-japonais de 1963 à 1968, professeur à l'université de Tokyo à partir de 1979, Maurice Pinguet (1929-1991) passa une grande partie de sa vie à Tokyo. C'est lui qui y fit venir Roland Barthes et Michel Foucault, contribuant de manière décisive à l'intérêt des intellectuels français pour le Japon. Aujourd'hui injustement oublié, il laisse des textes variés où, sur le fonds d'une grande connaissance du Japon, l'intelligence s'entrelace à la sensibilité.

Tokyo très vite me rappela que la beauté n'est que rêve et recherche. Le ciel était strié par le réseau des fils électriques, les cubes de béton uniformément livides reniaient le bois et les tuiles des demeures d'autrefois. Je remarquai que le pignon des maisons les plus menues était comme étouffé sous un masque de ciment qui dissimulait le toit et contrefaisait, vue de la rue, l'apparence d'une façade banalement rectangulaire. J'étais habitué à la compacité géométrique de Paris et l'anarchie qui règne dans l'espace de Tokyo me déconcerta. J'ai appris, depuis, à aimer ces talus herbeux qu'éclaire le néon, les petits temples cachés derrière les immeubles de ciment, les Jizô-sama tout à coup aux carrefours[1], le dédale des ruelles avec leurs contrastes d'animation et de silence,

1. Jizô : divinité souvent représentée par de petites statues de pierre.

la gaieté piquante des éventaires ou la mélancolie d'un saule chétif derrière un mur. Paris est une ville adulte, et même un peu mûre, dont le style parfois emphatique laisse deviner les vanités bourgeoises sous la fierté des deux Napoléon. Tokyo a encore le charme ingrat de l'adolescence. J'ajoute que malgré la géométrie sinisée de Nara et de Heian, le Japon n'a jamais connu la domination d'un urbanisme radical. Selon la tradition des cités grecques et romaines, l'organisation par l'homme de l'espace collectif ne se limite pas à des soucis de voirie et d'orientation : elle s'appuie sur un centre de vie publique ouvert à tous, forum ou parvis des cathédrales, et en ce centre, elle érige les façades monumentales qui racontent la force de la cité ou exposent l'enseignement divin. Nulle part au Japon je ne retrouve cette focalisation, cette ostentation.

[...]

Autant la confuse dispersion de la ville m'avait déconcerté, autant devait me satisfaire et m'instruire, par la même raison, la maison purement japonaise où je vis encore aujourd'hui. Je me revois, deux semaines après mon arrivée à Tokyo, entrant dans ces pièces nues, sans même un *zabuton*. Les *shôji* étaient ouverts sur le jardin d'automne. Sur les nattes nues, comme pour m'accueillir, une simple feuille d'érable apportée par le vent.

Depuis ce jour, il n'est d'instant où cette maison ne m'ait donné quelque sensation vive et charmante : lumière du soleil sur le pur papier des cloisons, eurythmie des proportions, couleur et grain des diverses essences du bois, franchise de la structure, élasticité et parfum de la paille des tatamis, sans parler du spectacle ininterrompu des saisons au jardin. Je ne peux cesser d'admirer le génie de cette architecture qui, dès aujourd'hui dans le monde, guide partout la recherche d'une habitation de l'avenir. Au cœur de ce triple génie, une triple vertu : cordialité de l'espace, discrétion des fonctions, sincérité de la matière et de la forme.

La demeure occidentale exprime, dans sa solennelle énergie, une méfiance envers l'espace, la fuite peut-être de Caïn maçonnant des murs entre son âme et le regard de Dieu. Ce cube percé d'une meurtrière pour épier la rue isole l'individu aux prises, famille ou solitude, avec son destin personnel. Je pense aux palais-labyrinthes de Racine, aux salons vides de Mallarmé liés au monde par le seul reflet des étoiles, à cette chambre que Proust fit garnir de liège, à la sinistre forteresse des *Cent vingt journées de Sodome*, aux écrasantes architectures de Piranèse et aux sombres intérieurs de Rembrandt sillonnés d'un oblique rayon. À cet isolement, parfois pathétique, de la subjectivité occidentale dans sa sécrétion pierreuse, s'oppose l'euphorie de libre communication qu'inspire la demeure japonaise ouverte sur la nature et ouverte sur elle-même par le jeu des cloisons amovibles. L'homme ici entretient avec l'espace un rapport d'insouciance cordiale : venant de l'ambiance, il accepte le froid, le vent et la chaleur que le confort occidental, avide d'isolement, répudie. Sous la seule protection du toit, le corps et le regard circulent sans avoir à redouter un huis clos.

« Digression sur l'art du Japon »,
© *France-Asie/Asia*, n° 182, février-mars 1964

La ville-poème

Circulation… C'est un des mots-clefs pour comprendre Tokyo. Analysant le centre de la ville et le vide du Palais impérial, autour duquel toute la ville se déploie et se dévoie, Barthes le notait déjà dans *L'Empire des signes*, qu'il dédia précisément à Maurice Pinguet : « L'une des deux villes les plus puissantes de la modernité est donc construite autour d'un anneau opaque de murailles, d'eaux, de toits et d'arbres, dont le centre lui-même n'est plus qu'une idée évaporée, subsistant là non pour irradier quelque pouvoir, mais pour donner à tout le mouvement urbain l'appui de son vide central, obligeant la circulation à un perpétuel dévoiement. De cette manière, nous dit-on, l'imaginaire se déploie circulairement, par détours et retours le long d'un sujet vide. »

CLAUDE LÉVI-STRAUSS

Liberté de Tokyo

*Nul besoin de présenter Claude Lévi-Strauss (né en 1908).
Peu de gens en revanche connaissent l'amour du grand
anthropologue pour le Japon, où il est venu à cinq reprises et
qui joue dans sa pensée un rôle discret mais important. Dans
un texte rare, d'abord paru en japonais dans la revue* Tokyo-
jin, *il révèle le plaisir et l'intérêt qu'il ressent à s'enfoncer
dans les rues de la capitale, la diversité folle de cette ville et
de ses habitants et l'extraordinaire sensation de liberté qu'on
peut y éprouver.*

Lors de ma première visite au Japon, en 1977, mes
amis, même japonais, m'avaient mis en garde. Que je
n'aille surtout pas juger le japon par Tokyo : ville sur-
peuplée, anarchique, sans beauté, écrasante par son
gigantisme, entièrement reconstruite après les bombar-
dements de 1945, traversée en tous sens par des voies
express surélevées qui se croisent dans le vacarme à des
niveaux différents…

Mes promenades me donnèrent une tout autre impression. La ville, bouillonnante de vie, me parut respirer
la jeunesse. Les coloris clairs et variés des bâtiments
entretenaient la gaîté. La liberté avec laquelle étaient
implantés les maisons et autres édifices me changeait
agréablement des rues européennes où les maisons,
alignées et soudées les unes aux autres, enferment

le passant entre des murailles de pierre. À Tokyo, les constructions, détachées de leurs voisines, diversement orientées, ménageaient d'amusants contrastes de perspective. Même au cœur de la ville, elles proposaient au passant des recoins plus tranquilles, des petits havres de paix...

Surtout, je me suis aperçu qu'il suffisait de quitter les grandes artères et de s'enfoncer dans des voies transversales pour que tout change. Très vite, on se perdait dans des dédales de ruelles où des maisons basses, disposées sans ordre, restituaient une atmosphère provinciale. Le jardinet qui les flanquait pouvait être minuscule : le choix et l'arrangement des plantes n'en témoignaient pas moins pour le goût et l'ingéniosité des habitants. Ces demeures particulières entourées de végétation logeaient peut-être des gens de condition moyenne : je me faisais la réflexion qu'à Paris, elles eussent représenté un luxe accessible seulement aux plus riches. En parcourant Tokyo, j'étais moins heurté par la brutalité des quartiers d'affaires que charmé de voir coexister ces contrastes urbains. J'admirais et j'enviais cette faculté encore laissée aux habitants d'une des plus grandes villes du monde, sinon même la plus grande, de pouvoir pratiquer des styles de vie si différents.

« Aux habitants de Tokyo »,
texte reproduit avec
l'aimable autorisation
de l'auteur

CHRIS MARKER

Un goût d'éternité

Chris Marker, né en 1921. Filme, photographie, voyage,
aime les chats. Cinéaste exceptionnel, mais aussi photogra-
phe et écrivain. Un fameux bar de Tokyo porte le titre d'un
de ses films : c'est un pays qu'il a totalement investi et tota-
lement inventé, exigeant et attentif à « ce qu'il reste de soie
dans cet empire de marbre ».

Insomnie de l'aube à Tokyo. Les voix de corbeaux
porteurs de dépêches qui s'annoncent à tous les octrois
commencent de se perdre dans les bruits de la ville. Aux
gares terminales se mettent en marche des trains de couleur – vert Yamanote, bleu Tozai, rouge laque Marunouchi, nom et couleur à jamais inséparables – qui vont
emplir la matinée d'une rumeur grandissante de bow-
ling, dominée par l'impériale corne de brume du *Shin-*
kansen. La neige du téléviseur encore allumé va bientôt
s'effacer devant la première mire, mais en ce moment il
ressemble plutôt à une de ces lanternes blanches et car-
rées qu'on voit à la télévision, justement, dans les histoi-
res de samouraïs et de fantômes. C'est ce qu'on appelle
une mise en abîme. La Dame des actualités du matin
apparaît sur l'écran, ou la première pub, ou Dorae-
mon le chat-robot. Tiens, se dit-on, une autre journée
est passée. Comme si c'était seulement au réveil, en se
retournant sur elle, qu'on pouvait prendre les vraies

mesures de cette journée vécue hors du temps, dans une zone de silence au milieu du son, d'immobilité au centre du manège, dans un goût d'éternité que nous appellerons Japon comme d'autres l'appellent Hollande. Ici, le Temps est une rivière qui ne coule que la nuit.

Inventer le Japon est un moyen comme un autre de le connaître. Une fois dépassées les idées reçues, une fois contournée l'idée reçue de prendre le contre-pied des idées reçues, mathématiquement les chances sont les mêmes pour tous, et que de temps gagné. Se fier aux apparences, confondre sciemment le décor avec la pièce, ne jamais s'inquiéter de comprendre, être là – *dasein* – et tout vous sera donné par surcroît. Enfin, un peu.

Le Dépays
© Éditions Herscher, 1982

Du même auteur :

La tentation de la France, la tentation du Japon :
regards croisés (dir.) recueil de textes, Éd. Picquier, 2003.
L.-F. Céline et la chanson, essai, Éd. du Lérot, 2004.
Kizu, roman, Arléa, 2004.
Tokyo, Petits portraits de l'aube, roman, Gallimard (Grand
Prix littéraire de l'Asie 2005).

Le goût de Venise
Le goût du Vietnam
Le goût de Vienne

Le chant des villes
Le (dé)goût de la laideur
Le goût de l'amour
Le goût des chats
Le goût des chiens
Le goût du chocolat
Le goût du cinéma
Le goût de la danse
Le goût des déserts
Le goût du football
Le goût des jardins
Le goût de la marche
Le goût de la mer
Le goût de la pêche
Le goût de la révolte
Le goût de la rose
Le goût du rugby
Le goût du thé
Le goût du voyage

Réalisation Pao : Dominique Guillaumin

Achevé d'imprimer
par CPI-Hérissey à Évreux
en octobre 2008.
Imprimé en France.

Dépôt légal : octobre 2008
N° d'imprimeur : 109365

153336